KB084999

기초물리

LIVE 과학

41 스포츠와 힘

천재교육

LIVE
과학

글 / 최재훈

학습 만화와 청소년 교양서, 온라인 에듀테인먼트 게임 등을 넘나들며 어린이와 청소년이 즐겁게 공부할 수 있는 다양한 콘텐츠를 만들고 있습니다. 〈꿈의 멘토〉, 〈미션 돌파 과학 배틀〉, 〈헬로 마이 잡〉, 〈who?〉 시리즈를 비롯한 여러 학습 만화 집필에 참여했습니다.

그림 / 임해봉

1992년, 만화계에 입문했으며 2002년부터 어린이를 위한 학습 만화가로 활동하고 있습니다. 그린 책으로는 〈Why? people 이순신〉, 〈Why? people 넬슨 만델라〉, 〈브리태니커 만화 백과 포유류〉, 〈셀파 탐험대 과학 운동과 에너지 〉 등이 있습니다.

학습 · 감수 / 최우석

서울대학교 사범대학에서 물리교육을 공부한 후 지금은 한성과학고등학교에서 물리를 가르치고 있습니다. 중학교와 고등학교의 개정교육과정 교과서를 비롯한 다양한 집필 활동을 하고 있으며, 이를 통해 학생들이 보다 쉽고 재미있게 과학을 접할 수 있도록 노력하고 있습니다.

LIVE 과학 기초물리 041 스포츠와 힘

발행일: 2020년 5월 29일 초판 / 2024년 1월 2일 3쇄
발행처: (주)천재교육
기획편집: 박세경 / **책임편집:** 김정현
글: 최재훈 / **그림:** 임해봉 / **학습 · 감수:** 최우석
표지 사진 제공: 셔터스톡
본문 사진 제공: 셔터스톡, 연합뉴스, 위키피디아, 천재교육, 플리커, 픽사베이
신고번호: 제2001-000018호(1980.5.28)
팩스: 02-3282-1717 / **고객만족센터:** 1577-0902
주소: 08513 서울특별시 금천구 가산로 9길 54 / **홈페이지:** www.chunjae.co.kr

ISBN 979-11-259-7820-6 74400
ISBN 979-11-259-7779-7 74400(세트)

추천의 글

아주 오래전 고대 그리스 시대의 자연 철학에서부터 시작된 과학은 호기심으로 자라나는 아이와 매우 비슷합니다. **'왜 어떤 물체는 물에 뜨고 어떤 물체는 가라앉을까?', '왜 사과는 땅으로 떨어질까?', '왜 시간과 공간을 별개로 생각해야 할까?'** 이 세 가지 질문은 과학 역사에서 아주 중요한 질문이지만, 사소한 일상생활 속에서 우연히 나온 것들입니다. 바로 아르키메데스, 뉴턴, 아인슈타인이 갑자기 떠올린 생각들로, 이러한 호기심은 결국 **부력, 만유인력, 상대성 이론**으로 발전되어 현대 물리학의 기초가 되었습니다.

〈라이브 과학〉 기초물리 편에도 우리 **주변 현상 속 '왜'**라는 질문과 **그에 관한 '답'**이 들어 있습니다. 여러분도 주인공인 아라, 누리와 함께 **새 교육과정에 맞는 주제**들의 비밀을 하나씩 밝혀 나감으로써, 조금씩 **세상의 이치와 과학의 기본 원리**를 모두 깨달을 수 있기를 기대해 봅니다.

한성과학고등학교 물리학 교사
최우석

현대 과학 기술은 물리학을 토대로 빠르게 발전해 왔습니다. **우리 생활에 직접적으로 필요한 가전제품, 통신 시설, 에너지** 등을 비롯하여 **반도체, 인공지능, 우주선 같은 첨단 과학**까지 물리학은 다양한 곳에서 활용되고 있습니다.

아쉽게도 많은 사람들이 물리학은 어렵고 재미없는 학문이라고 생각합니다. 하지만 그러한 생각을 잠시 접어 두고 주변으로 눈을 돌리면, 우리 생활 곳곳에서 나타나는 재미난 사건과 신기한 물건들이 대부분 물리학으로 설명되는 멋진 경험을 하게 될 것입니다.

〈라이브 과학〉은 **생활 속 과학**을 알려 주는 것을 뛰어넘어 **만물의 원리**까지 이해할 수 있게 도와줍니다. 또한 **사회, 음악, 미술, 역사 등과 접목**된 내용으로 **통합 사고력 및 창의 융합 사고력**을 동시에 발달시키는 기회도 제공합니다. 4차 산업 혁명이 진행되고 있는 이때 〈라이브 과학〉이 미래를 준비하는 과학 꿈나무들의 훌륭한 발판이 될 수 있기를 희망합니다.

하나고등학교 물리학 교사
정형식

이 책의 특징

1 과학 원리 이해!

어렵고 복잡하기만 했던 과학 원리를 만화로 재미있게 익힐 수 있습니다.

모든 물질 현상의 비밀과 우주의 원리까지 풀어내요!

앗! 이건 지레의 원리?
받침대의 위치를 조정해 돌을 날리는 데 필요한 힘과 거리를 조절할 수 있음.
도르래와 축바퀴의 원리
〈주의 사항〉
① 돌을 올려놓을 받침대가 필요함.
② 받침대를 치웠을 때 이 돌의 무게 덕분에 반대쪽 돌이 날아갈 것으로 예상됨.
지레의 원리

2 핵심 내용이 한눈에, 인포그래픽!

과학 핵심 정보가 시각화되어 있어 정보를 빠르고 쉽게 이해할 수 있습니다.

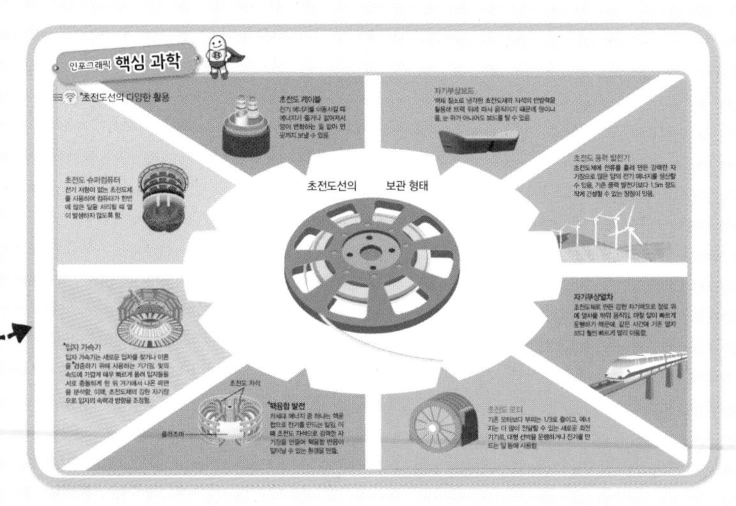

인포그래픽 핵심 과학
초전도선의 다양한 활용
초전도선의 보관 형태

3 사고력을 키우는 통합 과학!

수학, 역사, 음악, 미술 등 다양한 과목과 연계된 공통의 주제를 통해 지식의 폭을 넓힙니다.

역사로 기초물리 읽기 **나침반은 언제부터 사용하기 시작했을까?**

나침반을 최초로 사용한 시기와 장소는 기원전 4세기 중국이라고 추정됩니다. 나침반의 시초라고 볼 수 있는 '사남'은 중국 춘추전국시대의 한비자가 쓴 〈한비자〉와 한나라의 왕충이 쓴 〈논형〉 등에서 볼 수 있는데요.

▲나침반의 시초인 사남

▲GPS와 전파로 정보를 주고받는 인공위성

3D 애니메이션

2D 애니메이션

수평대는 바닥이 평평한 곳에 설치해요.
1 나무판자가 수평이 되도록 받침대에 올려놓기

실험 동영상

4 다양한 주제의 멀티미디어!

라이브 과학 애플리케이션을 이용하여 3D · 2D 애니메이션, 실험 동영상 등을 만화와 함께 즐길 수 있습니다.

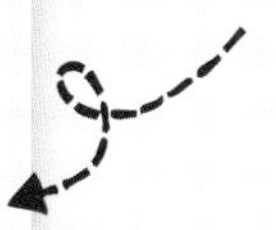

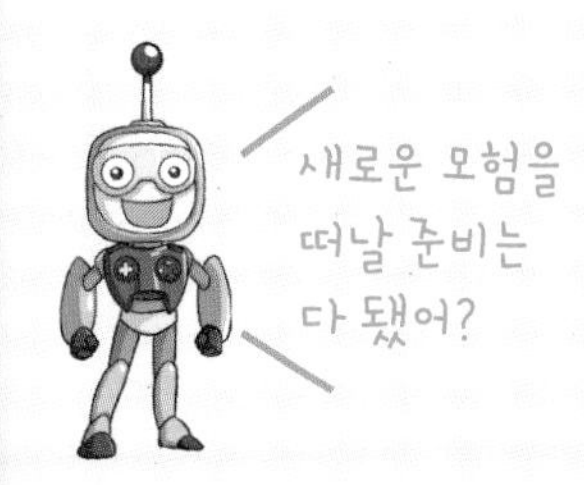
새로운 모험을
떠날 준비는
다 됐어?

기초물리를
생생한
영상으로!

각 권마다
5편의 영상이
담겨 있어.

멀티미디어 이용 방법

앱으로 라이브 영상을 감상하려면?

다운로드
페이지로,
GO!

1. QR코드를 통해 앱 설치 페이지로 이동하여 〈라이브 과학〉 앱 다운로드!

2. 앱에서 각 권의 콘텐츠를 담은 뒤 버튼을 눌러서 카메라를 실행합니다.

3. 만화 속 '라이브 영상' 코너에서 카메라 마크가 있는 페이지 전체를 비추면 해당 주제의 멀티미디어 재생!

라이브 영상 화석 연료가 만들어지는 과정
1단계
2단계
3단계
4단계
이 마크가
있는 페이지를 향해
찰칵~ 찍기만 하면
애니메이션이 짠!

차례

만화 하단의 ★표시는 기초물리 관련 어휘, ▶표시는 일반 어휘로 구분하였습니다.

등장인물 소개

아라

천하무적 아라는 절대 안 져!

빅토피아에서 개발한 인공지능 여자 로봇. 머리보다는 주먹이 앞서는 행동파로, 스노보드 크로스 경기에 참가하게 된다.

차오름

제가 꼭 이길 테니까 너무 걱정하지 마세요.

파랑새 스포츠단의 명실상부한 에이스. 출중한 실력에 대한 자신감을 가지고, 스노보드 하프 파이프 경기에 참가하게 된다.

최고봉

그놈의 배신자 소리, 더는 듣고 싶지 않아!

엄청난 규모를 자랑하는 원톱 스포츠단의 단장. 머쓸을 눈엣가시처럼 여기며, 파랑새 스포츠단이 하루빨리 사라지길 바란다.

누리

따라잡을 기회는 아직 남아있어!

빅토피아에서 개발한 인공지능 남자 로봇. 지적 호기심이 왕성하며 신중한 성격으로, 스피드 스케이팅 경기에 참가하게 된다.

머쓸

파랑새 스포츠단의 아이들은 내게 가족과도 같아.

파랑새 스포츠단을 꾸려, 아이들에게 운동을 가르쳐 주는 스포츠와 힘 마스터 봇. 정정당당한 스포츠맨 정신을 무엇보다 중요하게 생각한다.

지난 이야기

먼 우주의 행성 빅토피아에는 빅터라는 종족이 살고 있다. 그들에겐 은하계 동쪽 푸른 행성에 대한 예언이 전해지는데, 그 예언 속 행성은 지구로 추측되었다.

시조께선 그 행성의 문물을 받아들이면 빅토피아가 최고로 번성할 거라고 하셨죠.

빅터들은 탐사 로봇을 지구로 파견하였고, 빅토피아는 지구의 데이터로 가득해졌다.

우웅웅

지구의 과학 문명을 수집 중!

그러던 어느 날 원인을 알 수 없는 사고로, 빅토피아에 전해졌던 모든 지구의 데이터와 그 데이터로 구현된 가상 현실이 몽땅 사라졌다.

비상! 빅토피아의 가상 현실이 모두 사라졌어!

휘이이이이~

말도 안 돼. 이건 꿈이야! 꿈!
쾅
쾅
쾅
과학자 빅터들

우아!
신기하다!
후욱
데이터
수집 시작!
빅터들은 로봇 아라와 누리를 지구로
보내 첨단 과학 기술 데이터를 모았고,

오늘도 평화로운
빅토피아입니다!
활기차게 아침을
시작해 볼까요?
빅토피아는 비록 가상이지만 지구의 외관과
비슷한 모양을 갖추게 되었다.
하지만 빅토피아에서 미처 수집하지 못한 무수한
생명과 자연, 우주의 원리들은 아직 남아 있는데….

1장

힘을 제대로 쓰는 방법은 무엇일까?

혼쭐나는 데 취미가 있다면 어디 한번 던져 보시지!
툭
툭

빅토피아 역사상 가장 강력한 ▶타자가 방금 ▶타석에 들어섰습니다.

하지만 ▶마운드를 지키는 건 빅토피아 최고의 ▶마무리 투수!
S
B
O

칠 수 있으면 한번 쳐 보라고.
고오오

▶ 타자 : 야구에서, 방망이를 가지고 공을 치는 선수.
▶ 타석 : 야구에서, 타자가 공을 치도록 정해 놓은 구역.

이번 경기에서 진 선수는 앞으로 한 달 동안 설거지를 도맡아 하기로 했습니다. 이 말인 즉, 한 치도 물러설 수 없는 대결이라는 뜻이죠!
정작 많이 먹는 녀석은 따로 있는데 내가 설거지를 하는 건 코미디지!
이야압! 내 불꽃 직구를 받아라!
맛있는 요리는 환영이지만 설거지는 하기 싫거든!

▶[10쪽] 마운드 : mound. 야구에서, 투수가 공을 던질 때 서는 약간 높은 곳.
▶[10쪽] 투수 : 야구에서, 타자가 칠 공을 던지는 선수.

아… 이게 뭔가요.
중요한 순간에 뼈저린
실수를 저지르고 마네요.
애걔걔~
불꽃 ▸직구가 아니라
불꽃 ▸패대기잖아?
탕
데구르르

톡톡 과학 힘이란 무엇일까?

힘의 정의 물체의 모양이나 운동 상태를 변하게 하는 원인이다.

힘의 효과 물체에 힘을 주면 물체의 모양이 변하거나 운동 상태가 변한다.

힘의 단위 N(뉴턴), kgf(킬로그램중)

공을 밟으면 → 모양이 변한다.

공을 던지면 → 운동 상태가 변한다

공을 차면 → 운동 상태와 모양이 변한다.

실망, 실망,
왕 실망입니다.
빅토피아 최고의
투수가 이런 허접한
실수라니요!
그러게,
내가 왜 그랬담.
하…하하.

▸ 직구 : 야구에서, 투수가 변화를 주지 않고 곧게 던지는 공.
▸ 패대기 : 어떤 물건을 거칠게 내던지는 일.

공을 던지랬더니
패대기쳐 놓곤
시치미 떼는
꼴 좀 봐!

보자 보자 하니까
저 자식이 진짜!

아아~ 크게 동요하는 걸
보니 설거지의 주인공은
이미 결정된 것 같습니다.

끝날 때까지
끝난 게 아니다!

… 지구의 인간들이
종종 이런 말을
하더군.
스윽

▶ 시치미 : 자기가 하고도 모르는 체하는 태도.
▶ 동요 : 마음이나 상황이 확고하지 못하고 흔들림.

받아라!
이번에야말로
젖 먹던 힘까지
끌어모은 진짜
불꽃 직구다!!!
휙
화르르륵
세상에… 이게
웬일입니까?
진짜 공에 불꽃이
붙었습니다!
왜냐고?
불꽃이 아니라
불덩이가 날아와도
하나도 안 무서워!
꽈욱

▶ [15쪽] 무쇠 : 강하고 굳센 사람이나 물건을 비유적으로 이르는 말.
▶ [15쪽] 배트 : bat. 야구나 소프트볼 등에서 사용하는 공을 치는 방망이.

▶무쇠 같은 내 ▶배트로 다 쳐 버리면 되거든!
깡
배트가 야구공을 미는 힘
야구공이 배트를 미는 힘
헐~ 이걸 어떻게 쳤지?
무시무시한 불꽃 직구를 시원하게 쳐 내는 빅토피아의 최강 타자!

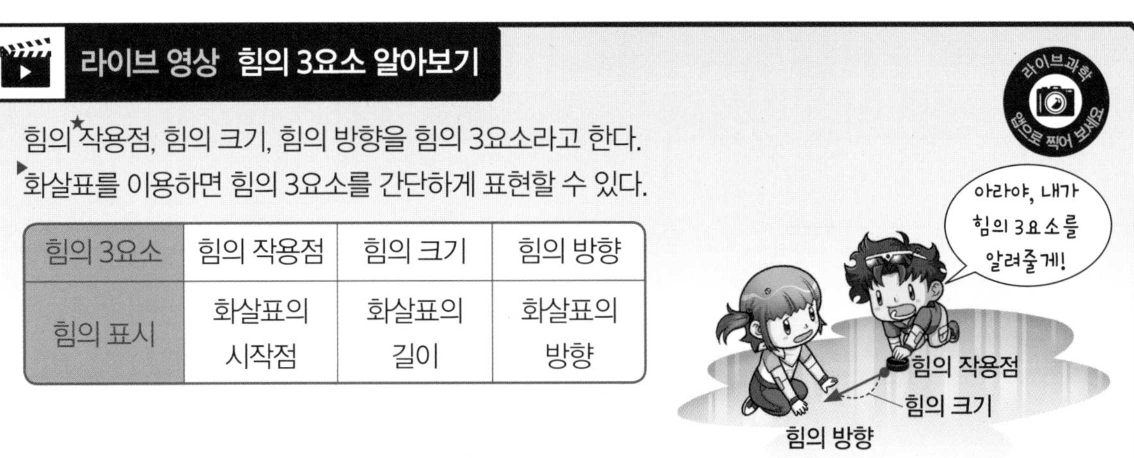

라이브과학 앱으로 찍어 보세요
아라야, 내가 힘의 3요소를 알려줄게!
힘의 작용점
힘의 크기
힘의 방향

라이브 영상 힘의 3요소 알아보기

힘의 ★작용점, 힘의 크기, 힘의 방향을 힘의 3요소라고 한다.
▶화살표를 이용하면 힘의 3요소를 간단하게 표현할 수 있다.

힘의 3요소	힘의 작용점	힘의 크기	힘의 방향
힘의 표시	화살표의 시작점	화살표의 길이	화살표의 방향

★ 작용점 : 물체에 힘이 작용할 때, 그 힘이 미치는 점.
▶ 화살표 : 방향을 나타내는 데 쓰이는 화살 모양의 기호.

슈우우우웅
쭉 뻗으며 멀리 날아가는 공! ▸홈런인가요?
저, 저긴….
퉁
퉁
빠각
지지직
엄마야!
▸중앙 처리 장치가 있는 곳인데! 괜찮을….
스윽

▶홈런 : home run. 야구에서, 타자가 친 공이 펜스를 넘어가거나 타자가 홈 베이스를 밟을 수 있는 안타.

삐요
… 리가 없지.
내가 못 살아,
정말!
삐요
삐요
그러게 잘
던졌어야지!
삐요
퉁
누가
그렇게 세게
치래?
어쨌든 이번 경기는
내가 이긴 거다?
앞으로 설거지는 네가
다 해야 해. 알겠지?
싫은데!
아직 경기
안 끝났거든?
그만 좀 싸우고
시스템부터 점검해!
이 원수들아!!!
으, 응!
하면
되잖아.
별일은 없어야
할 텐데….
너도 참~
고작 야구공 하나
부딪힌 거 가지고
걱정은~
맞아,
괜찮을 거야.
맙소사!!!

▶ [16쪽] 중앙 처리 장치 : 컴퓨터 시스템 전체의 작동을 통제하는 가장 핵심적인 장치.
▶ 점검 : 낱낱이 검사함.

도, 도로가…
자동차들이…. 이거
갑자기 왜 이래?

비상사태
발생

부아아앙

콰고광
쾅

▶도로 : 사람이나 차가 잘 다닐 수 있도록 만들어 놓은 비교적 넓은 길.
▶[19쪽] 허공 : 텅 빈 공중.

폭포도 이상해. 물줄기가 ▸허공에서 멈췄어!
저게 어떻게 ▸가능하지?
뚝
음…. 얘들아, 지금 도로나 폭포가 문제가 아니야.
▸가상 현실 지구의 인간들이 전혀 나아가질 못하고 있어.

▶ 가능 : 할 수 있거나 될 수 있음.
▶ 가상 현실 : 인공적으로 만들어 낸, 실제와 유사하지만 실제가 아닌 어떤 특정한 환경이나 상황.

으아아~ 갑자기
왜 저러는 거야!
파직
파직
가상 현실 지구의
데이터를 모아 둔 ▶메모리가
야구공과 부딪히면서
깨져서 그런가 봐.
그렇다면
이 몸이 나서서
처리해야지.
꺄아~
역시 듬직하다니까.
하마터면 반할 뻔!
탁
탁
탁
탁
삐이이이
스포츠와 힘
데이터 복구 불가!
삐이이이
고칠 수 없다니….
그럼 가상 현실 지구를
저대로 내버려 둬야
한다는 거야?
스포츠와 힘
데이터 복구 불가!
어휴~ 누가 공을
잘못 던지는 바람에
이 ▶사달이 났네.

▶ **메모리** : memory. 컴퓨터에서, 입력 장치를 통해 읽어 들인 정보나 처리된 결과를 일시적으로 또는 계속해서 기억하는 장치.

뭐? 무식하게 배트를 휘두른 건 너잖아?
무식한 게 아니라 신들린 타격감이라고 해 줄래?
조용, 조용! 지금 우리끼리 다투고 있을 때야?
쿵

얼른 그 둘에게 연락부터 해야지. 한심하긴….
아, 맞다~ 그 방법이 있었지!
우리의 마지막 희망!
아라야, 누리야!
위기에 빠진 빅토피아를 구해 줘!!!

▶ [20쪽] 사달 : 사고나 탈.
▶ 타격감 : 공을 방망이로 잘 칠 수 있는 감각.

올림픽 체조
도마 경기 결승전!
대한민국의 자랑스러운
이진우 선수가 도움닫기를
준비하고 있습니다!
어머~ 잘생겼다!
운동선수가 아니라
아이돌 해도 되겠어.
말씀드린 순간,
메달을 향한 금빛 질주를
시작한 이진우 선수!
잘생긴 인간
파이팅!
힘내라, 힘!
탁

▶올림픽 : olympic. 4년마다 열리는 국제 운동 경기 대회.
▶도마 : 뜀틀을 이용한 체조 경기의 한 종목.

▶고난도 기술을
흐트러짐 없이 완벽하게
보여 주고 있습니다!
와아아~
와아~
▶착지까지 아주
깔끔했는데요.
과연 결과는
어떨까요?
척
KOR
10.000
금메달,
금메달입니다!
대한민국
국가 대표
이진우 선수가
해냈습니다!

▶ 고난도 : 어려움의 정도가 매우 큼.
▶ 착지 : 체조 경기에서, 동작을 마치고 땅바닥에 내려섬.

야호~
금메달이다!
대한민국
만세!
우, 우리가
너무 떠들었나?
그, 그러게….
일단 자리를 좀
옮길까?
sorry~
총총총
아까 그 인간
정말 대단하더라.
너도 봤지? 모터도 없이
공중에서 뱅글뱅글
도는 거!
대단한건 둘째
치고 엄청 멋있었어.
우리도 이참에
운동이나 배울까?
운동?
운동이라….

▶ 모터 : motor. 연료를 에너지로 변환해 기계를 작동시키는 장치.
▶ 이참 : 곧 돌아오거나 이제 막 지나간 차례.

누리야, 그럼 난
리듬 체조 배울래! 리본을
요래, 요래 흔드는 게 나랑
잘 어울릴 것 같지?
으… 못 볼 걸
본 기분이야.
욱

지이잉
지이잉
빅터 박사들이네?
당분간 임무는 없을 거라고
했는데 무슨 일이지?
훌라
훌라
예감이 별로
안 좋은데 그냥
받지 말지….
틱
자, 들어 봐!
우리가 야구 경기를
하다가 어쩌고저쩌고,
쿵작쿵작했는데~
얘들아!
일 났다, 일 났어!!!
덕분에
가상 현실 지구가
지금 장난 아니야!
대충 무슨 상황인지
알겠지?

▶ 리듬 체조 : 음악에 맞춰 맨손 또는 소도구를 사용해 연기하는 무용 체조.
▶ 장난 아니다 : 수준이 보통을 훨씬 넘어서는 정도로 대단한 것을 비유적으로 이르는 말.

그, 그래….
뭔지는 잘 몰라도
일이 터진 것
같기는 하네.
근데 설마 그걸
우리더러 해결하라는
소리는 아니지?
툴툴
딩동댕~
우리 아라, 눈치가
제법 늘었구나!
서당 개 삼 년이면
풍월을 읊는다더니…
이제 척하면 척이야!
하하하
▶용건만 간단히
말해 줄래?
됐고~
바로, 바로,
바로!
정 궁금하다면
알려 주는 게 ▶인지상정!
따끈따끈한 이번
임무는….
스포츠와
힘에 관한 데이터
모으기란다.
어때? 참 쉽지?

▶용건 : 해야 하는 일.
▶인지상정 : 사람이면 누구나 가지는 보통의 마음.

살랑 살랑
마스터봇 머쓸을 찾아가면 잘 도와줄 거야!
너희만 믿을게. 급하니까 최대한 빨리 부탁해!
박사들은 맨날 자기들 할 말만 해.
이젠 새삼스럽지도 않다, 야~
띠링
이미지가 도착했습니다.

어떻게 온 크루즈 여행인데…. 난 돌아가기 싫어!
그러지 말고 일단 사진부터 확인하자.

이게 뭐야!!!

▶ 새삼스럽다 : 이미 알고 있는 사실에 느껴지는 감정이 새로운 데가 있다.
▶ 크루즈 : cruise. 유람선을 타고 하는 여행. 또는 그런 여행을 하는 배.

비
실
스포츠와 힘 데이터
모으라고 하지 않았어?
그런데 무슨 마스터봇이
이렇게 ▶비실비실해?
그러게.
박사들이 사진을
잘못 보냈나?
혹시 모르니까
다시 ▶연락해서
물어보자!
좋은
생각이야!
뚜우우
뚜우~
뚜우우
뚜우우
뚜우우
뚜우
할 수 없지.
일단 출발!
어, 어?
정말 이대로
간다고?

▶비실비실 : 흐느적흐느적 힘없이 자꾸 비틀거리는 모양.
▶연락 : 어떤 사실을 상대편에게 알림.

다음 날
휘이이이이잉
오들오들
달달달
달달

맞다, 한국은 겨울이었지.
따뜻한 나라에서 노느라 까맣게 잊고 있었네.
오들오들

▸아무리 겨울이라도 이렇게 추운 건 ▸반칙 아니냐?
오들오들
이 동네에 머쓸이 있대. 머쓸을 찾으면 겨울옷부터 챙겨 달라고 하자!
휘이잉

헉! 누리야, 살려 줘! 갑자기 깜깜해졌어!
괜찮아?
척

뭐야? 이건 또 어디에서 날아온….

▶ 아무리 : 정도가 매우 심함을 나타내는 말.
▶ 반칙 : 법칙이나 규정, 규칙 등을 어김.

파격
어라? 이 인간
분명히 어디서
본 것 같은데….

기웃
잠깐!
닮긴 뭐가 닮았어.
▶체격부터 완전 다르잖아!
이 인간은 울퉁불퉁!
머쓸은 비실비실!

아라야, 이것 봐.
머쓸이랑 좀 닮은 것
같지 않아?

그래도
한번 만나 보는 게
좋지 않을까?
나도
만나고는 싶지.
근데….

펄럭
전화번호고 뭐고
아무것도 없는
▶달랑 종이 한 장으로
어떻게 찾을 건데?

▶ 체격 : 몸의 골격.
▶ 달랑 : 딸린 것이 적거나 하나만 있는 모양.

음… 이 동네 인간들이
많이 모이는 곳에 가서 물어보면
단서를 찾을 수 있지 않을까?
차오름 마트
차오름 마트

차오름 마트
예를 들면
이런 마트 같은 곳
말이지?
응, 맞아!

딸랑
딸랑
어서 오세요~

저기….
손님, 무엇을
도와 드릴까요?

우리가 누굴 좀
찾는데…. 혹시 이 인간
본 적 있어?
어?

▶ 단서 : 어떤 일이나 사건을 풀어 나갈 수 있는 실마리.
▶ 마트 : mart. 할인된 가격으로 물건을 파는 상점.

너희 뭐야?
우리 단장님은 왜
찾는 건데?
아는
사이였어?
옳다구나!
제대로
찾아왔네!

그러니까… 우리가
고향 친구거든!
친구라니?
네 나이가 그렇게
많다고?

애도 참~
고, 고향 친구의
아들이랑 딸이란
소리지!
탁
정말? 그러면
부모님 심부름
때문에 단장님을
찾아온 거야?

그, 그렇지?

반가워! 난 차오름이고,
머쓸 단장님이 운영하는
파랑새 스포츠단의
단원이야!
반가워,
난 누리!
난 아라야!

▶ 단장 : 어떤 단체의 우두머리.
▶ 단원 : 어떤 단체를 이루는 구성원.

오늘 운동하러
가는 날이거든. 이따 나랑
같이 가면 되겠다!
우아~ 정말?
고마워. 우리가 뭐라도
도울 일 없을까?
괜찮은데…. 이거
엄청 무거워.
에이~ 사양은
넣어 둬!
자, 이건
어디로 옮길까?
번쩍
세상에~
두 상자를
한 번에 드네!

운동하는 애들인가?
두 사람 다 날쌔고
힘도 세잖아.

▶ 사양 : 겸손해서 응하지 않거나 받지 않음.
▶ 날쌔다 : 동작이 가볍고 재빠르다.

잠시 후
차오름
다녀오겠습니다!
딸랑
딸랑
너희 아버지 너무 좋으시다. 맛있는 음식도 많이 챙겨 주시고!
우리 앞으로 친하게 지내자. 내일 또 놀러 와도 되지?
이제 슬슬 ▶출발해 볼까? 얘들아, 준비는 됐지?
무슨 준비?
파랑새 스포츠단까지 뛸 준비! 뒤처지면 두고 갈 테니까 알아서들 쫓아와!
파바박

같이 가!
원래 배부를 때 뛰면 안 되는데!
뒤뚱
뒤뚱
뒤뚱
뒤뚱

▶출발 : 목적지를 향해 나아감.
▶[35쪽] 고개 : 산이나 언덕을 넘어 다니도록 길이 나 있는 비탈진 곳.

거의 다 왔다.
이제 마지막 고개야.

생각보다 더
잘 따라오네.
헉
헉
헉

뛰느라
소화 다 됐네.
헉
헉
헉
헉
헉
아이고~
누리 살려….

그래도 날 이렇게
바짝 쫓아온 애들은
너희가 처음이야!
넌 매일 이렇게 여길
뛰어오는 거야?
응. 부모님을 도와
마트 일을 하다 보니까
운동할 시간이 부족하더라고.
그래서 뛰게 됐어!

▶ 소화 : 음식물에 들어 있는 영양소를 몸에 흡수하기 쉽도록 잘게 분해하는 과정.
▶ 부족 : 필요한 양이나 기준에 미치지 못해 충분하지 않음.

다 왔다.
정식으로
소개할게!
어머나!
산꼭대기에
이런 곳이 다
있었네?
애들아,
파랑새 스포츠단에
온 걸 환영해.
오~ 제법
그럴싸하잖아?
그러게.
왠지 멋있다!

▶ 정식 : 정당한 격식이나 의식.
▶ 환영 : 오는 사람을 기쁜 마음으로 반갑게 맞음.

난 가끔
지옥 훈련소 같던데….
멋있어 보인다니
다행이다.
방금
뭐라고?
지, 지옥…?
단장님이 가끔
저승사자처럼 혹독하게
▸훈련시킬 때가
있거든.
엥?
저승사자?
금방 모셔
올 테니까 여기에서
잠깐만 기다려.
그럼 곧 ▸임무를
시작할 수
있는 건가?
임무?
아아~ 부모님이
오늘 중에 단장님을
만나라고 했거든!
덥석
퍽
너 아까부터
왜 자꾸
밀치는 거야?
난 또
뭐라고~
그게 싫으면
제발 그 입 좀
조심하든가!

▶ 훈련 : 익숙해지도록 연습을 반복함.
▶ 임무 : 맡은 일.

그나저나 여기서
무슨 운동을 한다는 거지?
눈싸움이라도 하나?
다른 건 몰라도
저기서 스키를 배우는 건
확실해. 텔레비전에서
봤거든.
스키?
어? 방금 뭐가
움직인 것 같은데?
잘못 봤나?
나도 본 것 같아.
확인해 볼게.

▶ 텔레비전 : television. 방송된 영상 전파를 받아 그 영상과 소리를 재현시켜 주는 기계로, TV 라고도 함.

파
누가 이쪽으로
오고 있어. 그것도
엄청난 ★속력으로!
촤아아아
도대체
누구지?

★속력 : 일정 시간 동안 물체가 이동한 거리.

인포그래픽 핵심 과학

스포츠로 보는 힘의 상호 작용과 힘의 평형

힘의 작용과 반작용

야구	**작용** 배트가 야구공을 미는 힘 **반작용** 야구공이 배트를 미는 힘

힘의 작용과 반작용

축구	**작용** 내가 상대 선수를 미는 힘 **반작용** 상대 선수가 나를 미는 힘

과학에서는 힘을 두 물체 사이의 상호 작용이라고 정의한다. 상호 작용하는 힘의 크기는 같지만, 방향은 반대가 되는데 이때 한쪽 힘을 작용, 다른 쪽 힘을 반작용이라고 부른다. 한편, 한 물체에 작용하는 힘을 모두 모은 합이 0인 상태로, 힘이 전혀 작용하지 않는 것처럼 보이는 현상을 힘의 평형이라고 한다.

힘의 평형
양궁
활시위를 당기는 힘과 활시위가 늘어나는 힘이 평형을 이뤄 화살이 날아가지 않다가, 활시위를 당기는 힘을 푸는 순간 힘의 평형이 깨지며 화살이 날아간다.
힘의 작용과 반작용
▸조정
작용 노가 물을 미는 힘
반작용 물이 노를 미는 힘

▶ 조정 : 정해진 거리에서 보트를 저어 스피드를 겨루는 운동 경기.

플러스 통합 과학

사건으로 기초물리읽기 동전 테두리에 톱니무늬를 새긴 이유는 무엇일까?

▲아이작 뉴턴(1642~1727년)

운동 법칙과 만유인력의 법칙으로 우리에게 친숙한 뉴턴이 돈을 만드는 조폐국의 총책임자였다는 사실을 알고 있나요? 화폐 위조나 ▸훼손 같은 화폐 범죄에 대한 조언을 구한다는 재무 장관의 편지 한 통이 당대 최고의 과학자 뉴턴을 조폐국으로 이끌었답니다.

당시 영국은 금이나 은으로 만든 금화와 은화를 화폐로 사용했어요. 그래서 금화와 은화는 단지 화폐에 그치는 것이 아니라, 귀금속으로서의 값어치도 지니고 있었지요. 문제는 화폐보다 그 화폐를 만드는 데 쓰인 금과 은의 값어치가 더 크다는 사실이었습니다. 금화나 은화의 가장자리를 깎아 얻은 금과 은을 모아 이득을 보려는 사람들이 하나둘씩 생겨났고, 영국은 화폐 훼손 문제로 골머리를 앓게 되었지요.

▲동전 테두리의 톱니무늬

그런데 좀처럼 해결되지 않을 것 같던 이 문제는 뉴턴이 낸 기가 막힌 아이디어 하나로 쉽게 마무리됩니다. 뉴턴은 화폐의 테두리에 톱니무늬를 새기도록 지시했는데요. 겉으로 보기에는 아주 작은 변화였지만, 그 효과는 엄청났습니다. 화폐를 훼손하면 눈으로도 쉽게 확인할 수 있게 되어서 더는 화폐를 깎아 내지 못하게 된 것입니다. 또, 톱니무늬를 새기는 데에는 정교한 기술이 필요해 화폐를 위조하는 것도 어려워졌지요.

그 후, 전 세계 여러 나라에서 동전 테두리에 톱니무늬를 새기게 되었고, 오늘날까지 이어지고 있답니다.

▶ 훼손 : 헐거나 깨뜨려 못 쓰게 만듦.

이론으로 기초물리 읽기 홀쭉이와 뚱뚱이가 줄다리기를 하면 어떻게 될까?

작용
반작용
진우의 가속도
원빈이의 가속도

홀쭉한 진우와 뚱뚱한 원빈이가 마찰력을 최소화할 수 있는 스케이트보드 위에 선 뒤, 서로 똑같은 힘으로 줄을 당기면 어떻게 될까요? 뉴턴의 운동 법칙을 알고 있다면 이 질문에 대한 답을 쉽게 구할 수 있습니다.

진우가 원빈이에게 힘을 주면, 진우도 원빈이로부터 힘을 받게 됩니다. 원빈이 역시 마찬가지인데, 이것이 바로 '작용 반작용의 법칙(뉴턴의 운동 제3법칙)'입니다.

그렇다면 같은 크기의 힘을 주고받은 진우와 원빈이는 정중앙에서 만나게 될까요? '힘과 가속도의 법칙(뉴턴의 운동 제2법칙)'에 따르면 가속도는 물체에 작용하는 힘의 크기에는 비례하고, 질량에는 반비례합니다. 그렇기 때문에 홀쭉한 진우는 뚱뚱한 원빈이보다 가속도가 크게 붙어 더 많이 움직이게 되지요. 두 사람에게 작용한 힘의 크기는 같지만, 힘의 효과는 질량에 따라 달라진 것입니다.

▲가스가 분출되는 힘의 반작용으로 추진력을 얻는 로켓

우리는 뉴턴의 운동 법칙이 적용된 예를 생활 속 곳곳에서 쉽게 발견할 수 있습니다. 운전자가 혹시 모를 사고에 대비해 안전벨트를 매는 이유(제1법칙), 무거운 볼링공보다 가벼운 탁구공이 쉽게 움직이는 이유(제2법칙), 로켓이 하늘 높이 솟구칠 수 있는 이유(제3법칙) 등 움직이는 것은 대부분 뉴턴의 운동 법칙으로 설명할 수 있답니다.

2장 스포츠에 ▸사용하는 힘에는 무엇이 있을까?

부
뭐, 뭐지?
▸설마….
웅
팟
슈우우
지금 우리 쪽으로 오는 거야?

▶ 사용 : 일정한 목적이나 기능에 맞게 씀.
▶ 설마 : 그럴 리는 없겠지만.

누리야,
위험해!
퍽
엄마야!
파 파 팟

끽

깜짝 놀랐네.
아고고~
삭신아….

휙

▶ 위험 : 해로움이나 손실이 생길 걱정이 있음.
▶ 삭신 : 몸의 근육과 뼈마디.

야! 눈은 ▸폼으로 달고 다니냐!!!
하마터면 다칠 뻔했잖아!
꽥
스윽
남의 연습장에 함부로 숨어든 주제에 ▸입만 살았군.
어, 어라? 이거랑 똑같이 생겼다!
그러게. 드디어 만났어!
별 ▸시답잖은 소릴 늘어놓는 걸 보니 최고봉이 보낸 녀석들이 틀림없군.
에퉤퉤!
파
팡
이봐, 꼬맹이들~ 어설픈 연기는 집어 치우고 당장 여기서 나가!

▶ **폼** : form. 겉으로 드러내는 멋이나 형태.
▶ **입만 살다** : 실천은 따르지 않고 말만 그럴듯하게 잘한다.

기다려!
우리도 할 말 있다고!
팍
팍
팍
쟤 뭐야! 자기 할 말만 하고 휙 가버리네!!! 그나저나 누리, 너!
나? 난 갑자기 왜…?
솔직히 말해. 혹시 최고봉이랑 아는 사이야?
너도 참~ 내가 그 인간을 어떻게 알아.
아니면 말고!
그나저나 이제 어쩌면 좋지?
어쩌긴. 다시 가서 마스터봇 머쓸이 맞는지 확인부터 해야지!

▶ [46쪽] 시답잖다 : 볼품이 없어 만족스럽지 못하다.
▶ 확인 : 확실히 알아봄.

끼이익
저기…
실례합니다.
어라?
아무도 없네?
분명히 여기로
들어가는 걸
봤는데?
뭐, 뭐야?
파
앗
으읏~
눈부셔!
오잉?
여긴 또 뭐래?
딱 보면 모르냐?
아이스 링크잖아.

▶ 실례 : 말이나 행동이 예의에 벗어남.
▶ 눈부시다 : 빛이 강렬해 마주 보기 어렵다.

슈우우웅
어?
슈욱
핑
휘릭
읏차!

퍽
데구르르르
도대체 어디서
이런 게…?

▶[48쪽] 아이스 링크 : ice rink. 스케이트를 타거나 아이스하키 경기 등을 할 수 있게 시설을 갖추어 놓은 빙상 경기장.

나 그거 알아.
퍽이잖아, 퍽!
퍽?

▶아이스하키 경기에 사용하는 공인데, 고무로 만들었기 때문에 강한 충격을 받아 찌그러져도 금세 원래 모습으로 돌아간대!

라이브 영상 탄성력과 스포츠

고무줄을 잡아당겼다가 놓으면 늘어났던 고무줄이 원래 길이로 줄어든다. 이처럼 ★변형된 물체가 원래의 상태로 되돌아가려는 ▶성질을 탄성이라고 하며, 탄성에 의해서 나타나는 힘을 탄성력이라고 한다. 탄성력은 물체가 변형된 방향과 반대 방향으로 작용하며, 탄성력의 크기는 물체가 변형된 정도에 비례한다.

우리는 다양한 분야에서 탄성력을 이용하고 있는데, 운동 경기가 대표적이다. 예를 들어 배드민턴의 경우 라켓과 셔틀콕이 부딪힐 때 발생한 탄성력을 이용해 셔틀콕을 주고받으며 경기를 이어나갈 수 있는 것이다.

라이브과학
앱으로 찍어 보세요.
우아~
신난다!
점프!
점프!

근데… 고무로
만든 것 치곤
엄청 딱딱하네.
바보야, 그거
먹는 거 아니야!

슈우욱
퍽

▶아이스하키 : ice hockey. 얼음 위에서 여섯 명으로 된 두 팀이 스케이트를 신고 하는 경기.
★변형 : 모양이나 형태가 달라짐.

슉
슉
슉
엄마야!
슉
슉
슉
슉
으아아~
맞으면 최소
중상이야!
뭐가 이렇게
빨라!
퍽
퍽
퍽
퍽
퍽
퍽
퍽
퍽
그러니까 말로
할 때 들었어야지.
내가 분명히 나가라고
경고했을 텐데?
척
적당히 하시지.
꼭 이렇게까지
해야 해?
저벅
저벅

▶ [50쪽] 성질 : 사물이나 현상이 가지고 있는 고유의 특성.
▶ 중상 : 아주 심하게 다침.

가기 전에
뭐 하나만
물어보자!
다, 당신!
마스터봇 머쓸
아니야…요?
당연히 알지.
우리도 빅토피아에서
왔으니까!
뭐? 마스터봇?
너희가 그걸
어떻게…?

너희가…
빅토피아에서
왔다고?
툭

머쓸, 도와줘.
우린 네 도움이
필요해.

▶[53쪽] 진작 : 좀 더 일찍이.
▶[53쪽] 애초 : 맨 처음.

잠시 후
빅터 박사들이
날 찾아가라고 했어?
그럼 진작 말을 하지~
어머머~ 얘 좀 봐.
애초에 우리 말은 들을
생각도 없었잖아?
째릿
미안, 미안.
최고봉 때문에
예민해져서….
근데 머쓸, 너
하루아침에 지금처럼
된 게 아니구나?
아,
그게….

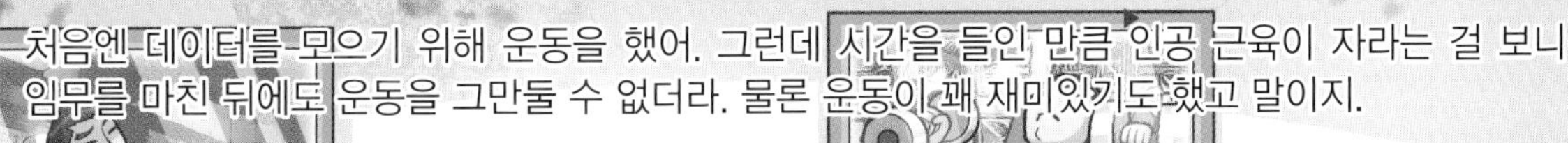
처음엔 데이터를 모으기 위해 운동을 했어. 그런데 시간을 들인 만큼 인공 근육이 자라는 걸 보니
임무를 마친 뒤에도 운동을 그만둘 수 없더라. 물론 운동이 꽤 재미있기도 했고 말이지.

▶ 예민하다 : 자극에 대한 반응이나 감각이 지나치게 날카롭다.
▶ 인공 근육 : 생명체의 운동을 담당하는 기관인 근육을 대신하기 위해 만들어 낸 물질.

근데 있지,
최고봉이 누구야?
나 아까부터
엄청 궁금했어.
휙
휙

최고봉,
원톱 스포츠단의 단장.
그리고….

원톱 스포츠단
잘 생각하세요,
어머니. 아이의 미래에
어느 스포츠단이
더 도움이 될지.
온갖 ▶감언이설로
우리 선수들을 가로채는 건
물론이고, 별별 트집을 잡아서
파랑새 스포츠단의 ▶해체를 요구하는
아주 치사한 놈이지.

뭐야! 완전 못된
인간이잖아!!!
그러게. 무슨
▶억하심정이라도
있는 건가?
스윽
억하심정이라….
그럴 수도 있겠네.

▶ 감언이설 : 비위에 맞도록 꾸민 달콤한 표현과 이로운 조건으로 상대방을 꾀는 말.
▶ 해체 : 단체나 조직 등을 흩어지게 하거나 없어지게 함.

최고봉과
나야.
스윽
엥? 사이가
엄청 좋아
보이는데?
이 정도면
단짝이라고 해도
믿겠다.

맞아. 최고봉은
가장 가까운 친구이자
찰떡궁합을 자랑하는
소중한 동료였어.
슈욱
슈욱

적어도…
그 일이 있기 전까진
말이야.
뭐야, 뭐야?
도대체 무슨 일이
있었던 거야?
빨리
이야기해
줘 봐~

▶ **[54쪽] 억하심정** : 도대체 무슨 생각으로 그러는지 알 수 없는 마음을 비유적으로 이르는 말.
▶ **찰떡궁합** : 서로 마음이 맞아 아주 친하게 지내는 관계를 비유적으로 이르는 말.

십수 년 전, 파랑새 스포츠단은 중요한 ▶선발전을 앞두고 있었어. 몇몇 선수는 실력이 뛰어나 선발이 확실시됐지.

그런데 최고봉이 선발전에서 승부를 ▶조작했어. 일부러 경기에서 실수를 한 거야.

세상에….
그건 범죄잖아. 감옥에 가야 하는 거 아냐?
그걸로 끝이었다면 차라리 나았을 텐데….

▶ 선발전 : 많은 선수 중에서 우수한 선수를 가려내는 시합.
▶ 조작 : 일을 거짓으로 그럴듯하게 꾸며 냄.

최고봉은 우리 선수단 모두를 선발전에 참가하지 못하게 만들고는….

▶홀연히 사라졌어.
후우

그러다 최근에 다시 나타난 거야. 원톱 스포츠단이라는 거대 스포츠단의 단장이 되어서 말이야.
여긴 어째 하나도 변한 게 없군.
네가 무슨 ▶염치로 여길….

뭐 그런 인간이 다 있어!
악당이 따로 없잖아!

녀석은 파랑새 스포츠단이 사라지길 누구보다 바라고 있어. 본인이 저지른 과거의 잘못과 함께 말이야.

▶홀연히 : 미처 생각하지도 못한 사이에 갑작스럽게.
▶염치 : 체면을 차릴 줄 알고 부끄러움을 아는 마음.

하지만
최고봉이 어떤
방해를 하더라도
내가 파랑새
스포츠단을
지켜 낼 거야!

오~ 머쓸이
불타오른다!
운동을 해서
그런가, ▶의욕이 넘치는
스타일이네.

너희에게
보여 주고 싶은 게
있어. 나가자!
잠깐!!!

그 전에 우리
옷 좀 챙겨 주면 안 돼?
이러다 얼어 죽겠어.
맞아!
여기 너무너무
춥다고.
이런….

엄청
따뜻하다!
머쓸, 머쓸!
이 색 말고
좀 화사한 색은
없어?
주면 주는 대로
입지, 좀~
기다려 봐!

이제야
좀 마음에
드네!
운동복이라
그런지 ▶착용감도
좋아!

▶ 의욕 : 무엇을 하고자 하는 적극적인 마음이나 욕망.
▶ 착용감 : 입거나, 쓰거나, 신었을 때 느끼는 느낌.

▸헐!
헐! 헐!
슥 슥 슥 슥 슥

▸업!!!

▶ 헐 : hurry. 스위핑(브룸으로 바닥을 문지르는 일)을 강하게 하라는 뜻의 컬링 용어.
▶ 업 : up. 스위핑을 멈추라는 뜻의 컬링 용어.

우아~ 처음 보는 스포츠야!
누가, 누가 더 청소를 잘하나 겨루는 게임인가?
갸웃

처음 봐? 청소? 빅토피아에서 바보들을 보냈군.

이건 청소 게임이 아니라 컬링이라는 스포츠야. ▶스톤을 빙판에 그려진 ▶하우스 안에 더 많이 넣는 팀이 이기는 경기지.
스톤

빗자루 같은 걸로 바닥을 닦는 걸 보니 청소 게임 맞네, 뭘~
슥 슥 슥
빗자루가 아니라 브룸이거든. 얼음 바닥을 쓸어서 마찰력을 ▶조절하는 컬링 장비라고.

▶스톤 : stone. 컬링 경기에 사용하는 둥글고 넙적한 돌.
▶하우스 : house. 빙판에 표시된 원형 표적이라는 뜻의 컬링 용어.

톡톡 과학 마찰력이란 무엇일까?

물체와 접촉면 사이에서 물체의 운동을 방해하는 힘을 마찰력이라고 한다.

방향	• 물체가 운동 상태일 때 : 운동 방향의 반대 방향 • 물체가 정지 상태일 때 : 작용하는 힘의 반대 방향
크기	• 물체가 무거울수록, 접촉면이 거칠수록 마찰력이 커진다.
활용	• 마찰력이 커야 편리한 운동 : 등산, 클라이밍, 축구 등 • 마찰력이 작아야 편리한 운동 : 수영, 스케이트, 스키 등

곰돌이를 밀 때도 마찰력이 발생해!
곰 인형이 접촉면을 누르는 힘
아라가 곰 인형을 미는 힘

텅
야호!

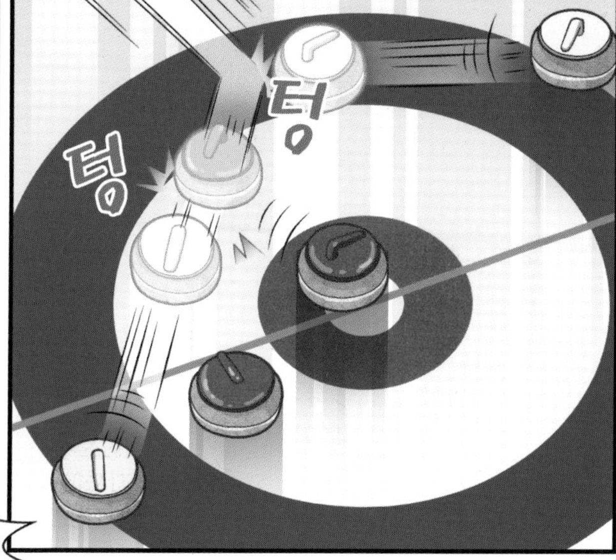
텅
텅
제대로 들어갔다!

운이 좋았던 건 알고 있지? 스위핑을 너무 세게 해서 스톤이 하우스 밖으로 다 튕겨져 나갈 뻔했다고.

▶ [60쪽] 조절 : 균형이 맞게 바로 잡음.
▶ 방해 : 남의 일을 간섭하고 막아 해를 끼침.

에이~
그래도 이 정도면
잘한 거지!
냉혹한 ▶승부의
세계에선 운도
실력이라잖아!
하긴. 그건
또 그러네!

저 아이들에게
파랑새 스포츠단은
꿈을 현실로 만들어
가는 곳이야.
꿈을 현실로
만든다고?
이곳에 모인 아이들은
운동선수가 되고 싶은데 ▶사정이 있어서
운동을 제대로 배울 수 없었던
경우가 대부분이거든.

어라? 쟤,
차오름이잖아!
아라야,
좀 살살 말하면
안 되겠니?
쩌렁
쩌렁
아니, 머쓸을
데리고 오겠다던 애가
저기서 저러고 있는데
화가 안 나고 배겨?

▶승부 : 이김과 짐.
▶사정 : 일의 형편이나 그렇게 된 까닭.

너희가
오름일 어떻게
알아?
아, 오름이랑
여길 같이 왔거든.
오름이는 스노보드 선수인데
워낙 여러 방면으로 ▸출중해서 ▸코치 역할도
겸하고 있어. 눈에 넣어도 안 아플 우리
파랑새 스포츠단의 보배지!
오름아,
잠깐 이리 와
볼래?

단장님,
무슨 일이….
아차!
너희가 있었지!
차오름 앞에선
머쓸한테 반말하면
안 되겠지?
응, 우리
조심하자!
소곤
소곤
저기… 화났어? 미안.
친구들 자세를 봐주느라
너희를 깜빡했네.
괜찮아.
그럴 수도
있지, 뭐~
아까 먹은
과자 때문에
봐주는 거야!

▶ 출중하다 : 여러 사람 가운데서 특별히 두드러지다.
▶ 코치 : coach. 운동 경기의 정신이나 기술을 선수들에게 훈련시키는 지도자.

오름아, 인사해. 오늘부터 우리와 함께하게 된 아라, 누리야.
엥?
이렇게 갑자기?
툭
오랜만에 생긴 새 식구잖아? 잘 부탁해, 얘들아!
우, 우리 잘할 수 있겠지?
그, 그래. 일단은 잘 부탁해.
와
락
얘들아, 너희는 종목이 뭐야?
난 스, 스노보드 였었나…?
웬 스노보드?
우아~ 나랑 똑같네. 난 그중에서도 ▶하프 파이프야!
알지, 알지! 그거 엄청 멋진 거잖아!

▶하프 파이프 : half pipe. 파이프를 절반으로 자른 'U'자 형태의 슬로프에서 스노보드를 타고 좌우로 왕복하며 내려오면서 기술을 펼치는 경기.

떼잉~
쥐꼬리만 한 경기장에서
소꿉놀이나 하는 주제에
스포츠단은 무슨!
척
두
둥
이봐, 머쓸.
고집부리지 말고
이쯤에서
해체하래도?
됐고!
쥐꼬리만 한
경기장에서 좀
나가 주겠나,
배신자 최고봉!
저 늙은 인간이
동료들을 배신하고
자기만 잘 먹고 잘산다는
그 최고봉?
어쩐지….
배신 잘할 것 같이
생겼다 했어.
그놈의 배신자 소리,
이제 더는 듣기 싫어!
부글부글

▶ 쥐꼬리 : 매우 적은 것을 비유적으로 이르는 말.
▶ 배신자 : 믿음이나 의리를 저버린 사람.

마지막으로 제안한다! 우리 원톱 스포츠단과 대결해서 파랑새 스포츠단이 이기면 더 이상 간섭하는 일은 없을 거다.
하지만 원톱 스포츠단이 이기면 파랑새 스포츠단은 군말 않고 해체하는 걸로~
싫은데? 우리가 왜 그런 내기에 응해야 하지?
휘
청
싫어? 왜 싫어
그런 한심한 승부엔 애당초 관심 없으니까.
또, 또, 또! 하여간 저만 잘났다니까!
너야 그렇겠지. 그런데 저 친구들도 같은 생각일까? 너희 스포츠단에서 난다 긴다 하는 선수들이 왜 우리에게 오는지 아직도 모르겠어?
흐음….

▶제안 : 의견을 내놓음.
▶난다 긴다 하다 : 재주나 능력이 남보다 뛰어나다.

좋아, 최고봉!
네 제안을 받아들이지. 하지만
나도 조건이 있어!
호오~ 드디어
정신을 차렸나 보군.
그래, 그 조건이란 게
대체 뭐지?
대결에서
우리 파랑새 스포츠단이
이기면 지난 잘못을
인정하고 진심으로 용서를
빌어라, 최고봉!
뭐.라.고?
좋아, 좋아.
자네 뜻대로 하지.
대신 대결 종목은
내가 정한다!
최후의 대결 종목은
스피드 스케이팅,
스노보드 크로스 그리고
스노보드 하프 파이프다!

▶인정 : 확실히 그렇다고 여김.
▶종목 : 여러 가지 종류에 따라 나눈 항목.

끼이익
종목을 뭘로 하든 우리가 이기겠지만 말이야.
이틀 뒤 정오에 원톱 스포츠단 연습장에서 보자고~
탁
갑자기 대결이라니….
자신은 있는 거야…요?
북 북
자신 같은 건 당연히 없지.
하지만 최고봉 그 얄미운 녀석이 우리 애들을 걸고넘어지는데 어떻게 참아!
화르륵
후유~ 큰일이네.
이 일을 어쩐다?

▶정오 : 낮 열두 시.

▶걸고넘어지다 : 자신의 책임이나 죄에 상관도 없는 사람을 거론해 트집을 잡다.

단장님,
걱정하지 마세요.
1승은 제가 반드시
챙길 테니까요!
오쿠
오쿠
역시 오름인
우리 스포츠단의
에이스야!
자신감
넘치는데?
난다, 나~
실력자 냄새가
스멀스멀 나~
오름이는
걱정 없지. 문제는
노보드 크로스야.
추욱
에이~ 뭐가 문제야.
머쓸 단장님이
나가면 되잖아요!
바보야!
학생들 경기에
내가 선수로 뛸 순
없잖아!
녀석이 얼마 전에
스노보드 선수들을
싹 다 데려갔어.
남은 애들에게 아직
시합은 무리야.
그래서
대결 종목에
넣었나 봐!
정말 치사한
사기꾼이네!

▶ 에이스 : ace. 어떤 조직에서 실력이 가장 뛰어난 사람.
▶ 무리 : 힘에 부치는 일을 억지로 함.

스노보드 크로스에
나갈 선수도 없는 주제에
큰소리치기는.

▸설상가상 스피드
스케이팅 선수도 사라지면
어떤 표정을 지으려나?
삐리리리

단장님,
▸지시하신 대로
처리했습니다.
조금만 기다려라.
확실하게
쫓아내 줄 테니!

▶ **설상가상** : 눈 위에 서리가 덮인다는 뜻으로, 불행한 일이 잇따라 일어나는 상황을 비유적으로 이르는 말.

스피드
스케이팅은
어때?
해 볼
만한가?
같은 시각

그건 경기
당일 ▸컨디션에
달려 있….
단장님,
큰일 났어요!

수환이가 사고가
났대요. 집에 가다가
자동차랑….
헉
헉
뭐라고?
끼이익
쿵

자세히 말해 봐.
어디를, 얼마나
다친 건데?

많이 다치진
않았대요. 그런데….

▶ [70쪽] 지시 : 어떤 일을 시킴.
▶ 컨디션 : condition. 몸의 건강이나 기분 등의 상태.

다리를 접질려서
한 달 정도는 깁스를
해야 한대요.
그래도
많이 다친게 아니라
천만다행이야.

단장님,
전 진영이랑
수환이한테
다녀올게요.
그래, 오름아.
여기 걱정은 하지 말고
어서 가 봐.
하필 수환이가
다치다니….
털썩
저기, 머쓸…
괜찮아?
수환이는
또 누구길래?
수환이는
우리 스포츠단의 유일한
스피드 스케이팅 선수야.

▶ 접질리다 : 심한 충격으로 지나치게 접혀서 삔 지경에 이르다.
▶ 깁스 : gips. 석고 가루를 굳혀서 단단하게 만든 붕대.

결국 여기까지인가?
그런 한심한 내기에
응하는 게 아니었는데….
내가 어리석었어.

머쓸, 우리가
있잖아!
너무
걱정하지 마!

그게 무슨?
스윽
아자
아자
오늘부터
나랑 누리도
파랑새 스포츠단
선수라며!
우리가
경기에 나가서
다 이겨 줄게!

말도 안 되는
소리 하지 마.
벌떡

왜? 왜 말이
안 되는 건데?
파랑새 스포츠단을
반드시 지킬 거라고
했잖아?

▶ [72쪽] 유일 : 오직 하나밖에 없음.
▶ 응하다 : 물음이나 요구를 받아들이다.

너희는 인간들과
비교할 수 없을 정도로
운동 능력이 뛰어나.
그래서 안 된다는 거야.
그게 뭐야~
일단 이기는 게
중요한 거
아닌가?
운동 능력이
뛰어나서
안 된다니….
구시렁 구시렁

정정당당하게
이기는 것!
경기에 나가
승리하는 게 스포츠의
전부가 아니야.
그것보다 더 중요한 건
스포츠맨 정신이라고!

스포츠맨 정신?

너희가 경기에
나가면 쉽게 이기겠지.
하지만 그건 공정하지 않아.
그렇게 이긴다면 최고봉과
다를 게 뭐가 있겠니?
안 그래?

▶공정 : 공평하고 올바름.
▶[75쪽] 정정당당하다 : 태도나 수단이 정당하고 떳떳하다.

그럼
정정당당하게
이기면 되잖아?
그런 방법이
있어?

누리야, 우리
운동 능력을 조절할 수
있지 않아?

그거야 가능하지.
지금 당장 실행해
볼까?
척

능력치를
다시 설정합니다.
웅 웅
웅 웅
띠딕 띠딕

배워야 할 게
산더미니까
단단히 각오해!
왜 갑자기
겁을 주고 그래.
이게
오름이가 말하던
저승사자 모드?
주춤
주춤
주춤
주춤

▶능력치 : 일을 감당해 낼 수 있는 힘의 정도.
▶모드 : mode. 특정한 작업을 할 수 있는 상태.

인포그래픽 **핵심 과학**

B

한눈에 보는 중력과 스포츠

번지 점프
bungee jump

탄성이 있는 줄에 몸을 묶은 뒤, 높은 곳에서 뛰어내리는 스포츠. 줄에 매달린 사람이 점프대에서 뛰어내리면 중력에 의해 아래로 떨어지게 된다.

역도
weight lifting

역기를 들어 올려 힘을 겨루는 스포츠. 중력은 지구 중심 방향으로 물체를 끌어당기기 때문에 중력에 반하는 위쪽으로 역기를 들어 올려야 한다.

싱크로나이즈드 스위밍
synchronized swimming

음악에 맞춰 헤엄치며 동작을 연기하는 스포츠. 물속에서 움직이기 위해서는 신체를 아래로 이끄는 중력과 위로 뜨게 하는 ★부력을 극복해야 한다.

★부력 : 물체가 물이나 공기 중에서 뜰 수 있게 하는 힘.

스카이다이빙
skydiving

낙하산을 착용하고 높은 곳에서 뛰어내린 뒤, 안전하게 착지하는 스포츠. 낙하산을 펴면 위로 떠받치는 ★항력이 발생해 떨어지는 속력이 감소한다.

스포츠 클라이밍
sports climbing

인위적으로 만든 암벽을 타고 오르는 스포츠. 중력에 맞서 떨어지지 않기 위해서는 양손과 양발에 의지한 채 다음 동작을 이어 나가야 한다.

봅슬레이
bobsleigh

방향을 조종할 수 있는 썰매를 타고 경사진 얼음 주로를 질주하는 스포츠. 중력이 이끄는 아래 방향을 향해 엄청난 속도로 내려온다.

★항력 : 물체가 물이나 공기 중에서 운동할 때 받는 저항력으로, 운동 방향과는 반대로 작용함.

플러스 통합 과학

인물로 기초물리읽기 100명의 선수가 함께 농구 경기를 했다고?

농구는 캐나다 출신의 미국인 체육가 제임스 네이스미스가 개발한 스포츠입니다. 추운 겨울에도 학생들이 운동을 즐겁게 할 수 있는 방법이 없을까 고민하던 것이 농구의 출발점이 되었지요.

▲제임스 네이스미스(1861~1939년)와 캔자스 대학교 농구팀

맨 위 줄 가장 오른쪽에 있는 인간이 네이스미스지?
우아~ 저렇게 생겼구나!

처음 농구는 실내의 높은 벽에 빈 복숭아 바구니를 매단 뒤, 축구공을 던져 넣는 경기로 시작했습니다. 농구의 인기는 폭발적이었고, 많은 사람이 농구 경기를 즐기게 되었지요. 그런데 한 가지 문제가 생겼습니다. 경기마다 달라지는 선수의 수가 바로 그것이었어요. 심지어는 100명의 선수가 함께 농구 경기를 한 적도 있는데요. 그 바람에 사고가 끊이지 않아 한때 농구 경기가 금지되기도 했답니다.

농구는 상대 팀의 바스켓에 농구공을 넣어 더 높은 점수를 획득한 팀이 이기는 경기입니다. 농구 경기에서 승리하기 위해서는 정확하게 공을 넣는 것이 무엇보다 중요하지요. 이때 자세가 성공률에 커다란 영향을 끼친다고 합니다. 농구공을 던지는 팔의 팔꿈치와 손목을 일직선으로 하면 공을 안정적으로 던질 수 있고, 실패 확률도 낮아진다고 하니 기억해 뒀다 직접 농구공을 던져 보는 건 어떨까요?

지구과학으로 기초물리 읽기 달에서 운동을 하면 어떻게 될까?

▲앨런 셰퍼드(1923~1998년)

1971년, 인류 역사상 다섯 번째로 달에 착륙한 미국의 우주 비행사 앨런 셰퍼드는 약 42kg에 달하는 ▶월석을 채집한 뒤, 지구로 귀환했습니다. 이때 한 가지 주목할 만한 부분은 그가 달에서 골프를 쳤다는 사실인데요. 셰퍼드의 말에 따르면 몸을 제대로 가누기 어려운 우주복을 입고, 골프채를 한 손으로 휘둘렀는데도 불구하고 골프공은 무려 180m 이상을 날아갔다고 하네요.

골프공이 멀리 날아갈 수 있었던 이유는 달의 중력이 지구의 약 16%에 불과했기 때문입니다. 이 말은 달이 물체를 잡아당기는 힘이 지구가 물체를 잡아당기는 힘보다 현저히 적다는 뜻인데요. 이런 달의 특성을 이용하면 같은 운동 경기라도 지구에서와는 전혀 다른 결과를 얻을 수 있답니다.

왜 이렇게 무거워….
너무 가벼워서 시시한걸?

달에서 역도를 한다고 상상해 보세요. 지구에서 100kg 이상을 들었던 선수라면, 달에서는 600kg 이상을 들어 올릴지도 몰라요. 또, 멀리뛰기나 높이뛰기를 하면 더욱 멀리, 더욱 높이 뛰어 지구에서보다 좋은 기록을 얻을 수 있겠지요. 반면, 중력이 약한 달에서는 몸이 공중에 둥둥 뜨는 바람에 한 발자국을 옮기는 일도 쉽지 않을 거예요. 빠르게 움직여야 하는 운동 경기를 달에서 한다면 불리할 수밖에 없겠지요.

과학 기술이 발달해 언젠가 달로 여행을 갈 수 있다면 여러분은 그곳에서 어떤 운동을 하고 싶나요?

▶ 월석 : 달의 표면에 있는 돌.

3장 ★뉴턴의 운동 법칙은 스포츠에 어떻게 적용될까?

비틀
비틀
뭐, 뭐야….

쿵

아라야, 너 참 이상하다~
퉤, 퉤, 퉤! 조심해! 입에 다 들어가잖아!

★뉴턴의 운동 법칙 : 물체의 운동에 관한 기본 법칙으로, 관성의 법칙(제1법칙), 힘과 가속도의 법칙(제2법칙), 작용 반작용의 법칙(제3법칙)을 통틀어 말함.

어떻게 이렇게 쉬운 걸 못할 수 있지?
부들 부들
아니거든! 나도 마음먹으면 다 할 수 있거든!
그래? 그럼 한번 따라와 보든가. 나 잡아 봐라~
쌩
화르르
누리 너… 잡히면 죽는다!

비틀 비틀
슬슬슬
슈우우우
어, 어~ 왜 이러지? 이쪽으로 가려는 게 아닌데!
어이쿠~ 어쩐지 너무 빠르더라….

▶ [80쪽] 적용 : 알맞게 이용하거나 맞추어 씀.
▶ 마음먹다 : 무엇을 하겠다는 생각을 하다.

퍼
억

절레
절레
무턱대고 빨리
달리기만 하니 관성을
이길 수가 없지….

관성?
머쓸, 관성이가
누구야?
헐~ 진짜
모르는 거야?
아니지, 웃기려고
한 말이지?

톡톡과학 관성의 법칙이란 무엇일까?

뉴턴의 운동 제1법칙인 관성의 법칙은 물체에 힘을 작용하지 않으면 정지한 물체는 계속 정지해 있고, 운동하고 있는 물체는 계속해서 운동하려고 한다는 법칙을 말한다.
이런 관성은 크게 정지 관성과 운동 관성으로 구분할 수 있다.

정지 관성	운동 관성
• 이불을 방망이로 두드리면 먼지가 아래로 떨어진다. • 정지해 있던 버스가 갑자기 출발하면 승객이 뒤로 휘청인다.	• 달리기를 하다 돌부리에 걸리면 앞으로 넘어진다. • 달리던 버스가 갑자기 정지하면 승객이 앞으로 쏠린다.

페달에서 발을
떼도 바퀴는 한동안
돌아가지!

▶ [83쪽] 무안 : 당혹스럽거나 부끄러워 얼굴을 바로 들기가 어려움.
▶ [83쪽] 구간 : 어떤 지점과 다른 지점의 사이.

피이~ 모를 수도 있지, 너무 무안 주는 거 아니야?
뿌우

직선 구간은 몰라도 곡선 구간에선 무작정 속력만 높여선 안 돼.
엥? 왜 안 돼? 스피드 스케이팅이니까 무조건 빠른 게 좋지 않아?

곡선 구간에서 코너를 돌려면 직선으로 내달릴 때 생기는 관성을 바꿀 수 있는 힘을 만들어 줘야 해. 그렇지 않으면 방금 전 누리처럼 되는 거지.
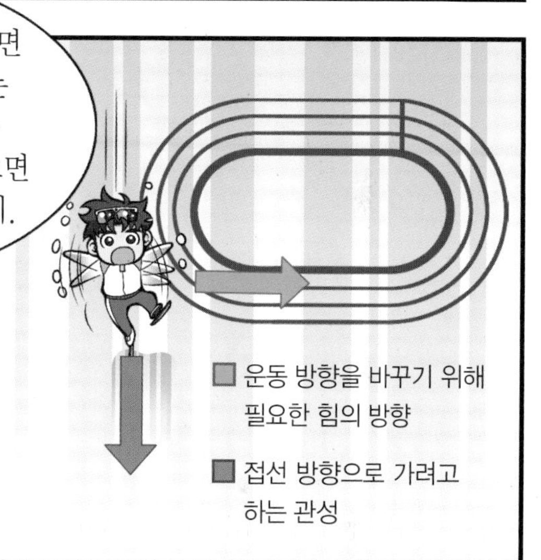
운동 방향을 바꾸기 위해 필요한 힘의 방향
접선 방향으로 가려고 하는 관성

그렇구나….
빠르게 달리면 다 되는 경기가 아니었네.
끄덕
당연하지.
이 세계에서 최고가 되려면 스포츠에 과학을 접목할 수 있어야 해.

아고고~
다음번엔 실수 안 하고 더 잘 타야지.

▶ 코너 : corner. 경기장에서 코스의 곡선 부분.
▶ 접목 : 둘 이상의 다른 현상을 알맞게 조화시킴.

스윽
스윽
아무래도
스피드 스케이팅 경기엔
누리가 나가는 게
좋을 것 같다.
파닥
파닥
정말?
신난다!
나는?
나는 경기
안 해?
당연히 해야지.
너한테 딱 어울리는
경기가 있어!

스노보드 크로스
어때? 다양한 ▶코스를 타고
내려와 가장 빨리 결승선을
통과하는 선수가 이기는
▶레이싱 경기야!
할래, 할래!
잘은 모르겠지만
재미있어 보여!!!

▶ **코스** : course. 달리거나 나아가는 길.

▶ **레이싱** : racing. 일정한 코스를 누가 가장 먼저 도착하나 겨루는 일.

아라는 나랑 같이 가자. 스노보드 크로스 연습을 아이스 링크에서 할 순 없으니까.
잠깐만! 그럼 난 혼자 연습하라고?
걱정할 필요 없어. 저기 널 가르쳐 줄 ▶족집게 선생님이 오고 있잖아.
척
그게 누구…?
스윽
두
파랑새 스포츠단의 운명을 건 시합이니까 우린 반드시 이겨야 해! 누리야, 자신 있지?
둥
그, 그래. 파이팅!
긁적 긁적
이거 지면 큰일 날 거 같은 분위긴데….
잠시 후
허리를 더 숙여! 공기와 몸이 닿는 ★면적을 최소화해야 마찰이 줄어 속력이 빨라진다고!
스스슥
슈슈슉
오름이 말대로 하니까 확실히 더 빨라졌어.

▶족집게 : 어떤 일을 예상할 때, 잘 맞히는 사람을 비유적으로 이르는 말.
★면적 : 어떤 장소나 물건, 도형 등이 넓은 정도.

더 빨리!
더, 더, 더!!!
한쪽 팔은 등 뒤로 두르고, 다른 쪽 팔은 흔들면서 ★가속도를 붙여!
촤아악
촤아

라이브 영상 힘과 가속도의 법칙과 공 던지기

라이브과학 앱으로 찍어 보세요

뉴턴의 운동 제2법칙인 힘과 가속도의 법칙은 물체의 가속도는 그 물체에 작용하는 힘의 크기에 ▶정비례하고, 물체의 ★질량에는 ▶반비례한다는 법칙을 말한다.

질량이 같은 공을 세게 던지면 멀리 날아가고, 가볍게 던지면 상대적으로 멀리 날아가지 않는 것도 힘과 가속도의 법칙으로 설명할 수 있다.

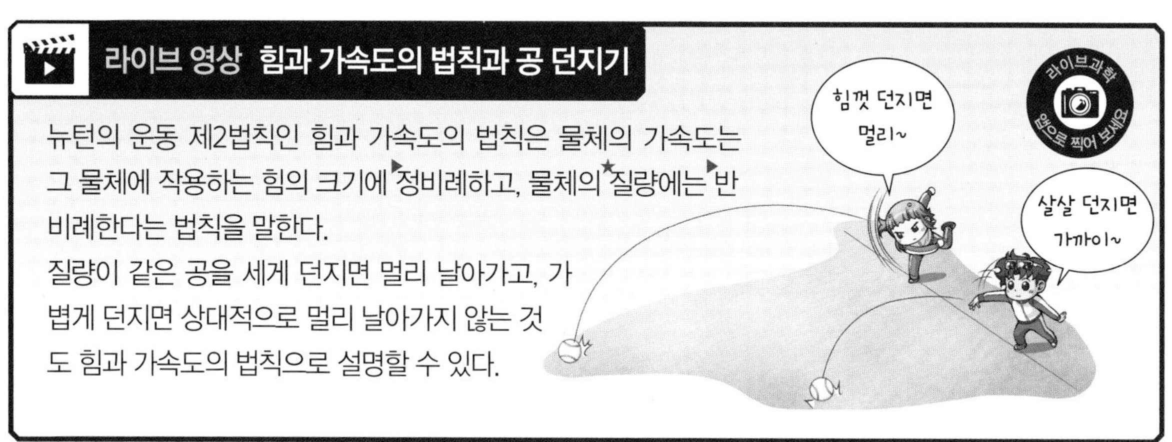
힘껏 던지면 멀리~
살살 던지면 가까이~

★가속도 : 단위 시간에 대한 속도의 변화율.
▶정비례 : 두 양이 서로 같은 비율로 늘거나 주는 일.

끼이이
누리야,
정말 잘했어!
짝
짝
이 정도로, 뭘~
아닌가? 실은 좀
대단한 건가?
쑥
쑥
이제 겨우
하나 배운 건데
오버하긴….
잘 들어. 스피드 스케이팅 경기는
출발선에서 빠르게 내달리기,
직선 구간에서 가속도 붙이기,
곡선 구간에서 속력 유지하기,
이 세 가지로 승부가 결정돼!

★[86쪽] 질량 : 어떤 물체에 포함되어 있는 물질의 양.

▶[86쪽] 반비례 : 한쪽의 양이 커질 때 다른 쪽 양이 그와 같은 비율로 작아지는 일.

그럼 아직
배울 게 많이 남았네.
오름아, 이번엔 또 뭘
가르쳐 줄 거야?
이번엔
말이지.
스타트를 배울 거야.
초반에 속력을 높여야
상대 선수를 따돌리기
쉽거든.
혹시 이번에도
비법이 있어? 있지?
있다고 해 주라~
당연히 있지!
스타트를 잘하려면
작용 반작용의 법칙을
이용하면 돼.
갸우뚱
작용이랑
뭐라고?

톡톡과학 작용 반작용의 법칙이란 무엇일까?

뉴턴의 운동 제3법칙인 작용 반작용의 법칙은 한 물체가 다른 물체에 힘을 작용하면, 다른 물체도 힘을 작용한 물체에 크기가 같고 방향이 반대인 힘을 작용한다는 법칙을 말한다.

작용 반작용의 법칙은 거의 모든 스포츠에서 쉽게 찾아볼 수 있다.

수영 선수가 운동 방향을 바꾸기 위해 발로 벽을 찬다.

육상 선수가 빠르게 달리기 위해 땅을 박차고 출발한다.

멀리 뛰기 선수가 도약하기 위해 도움닫기를 한다.

벽이 다리를
밀어내는 힘
(반작용)
다리가 벽을
차는 힘
(작용)

▶ 스타트 : start. 출발하는 것.
▶ 방향 : 어떤 곳을 향한 쪽.

내가 힘을 줘서
바닥을 밀면….
발이 빙판을
미는 힘
바닥도 나를
밀어내지. 바로 그 힘을
이용하는 거야!
빙판이 발을
미는 힘
발이 빙판을
미는 힘
그, 근데 자세를 꼭
이렇게 해야 해? 이왕이면
멋있는 게 좋은데….
시합에서
이기는 게
진짜 멋이니까
집중하자!
어정쩡
명심해. 출발 신호가
떨어지면 빙판을
가능한 빨리, 가능한 세게
치고 나가야 해!
꾸욱
자, 출발!!!
88:86

▶ [88쪽] 도약 : 몸을 위로 솟구치는 일.
▶ 명심 : 잊지 않도록 마음에 깊이 새겨 둠.

최대한 빨리!
파 팍
팍
팍
최대한 세게!
양발이 빙판을 밀치는 힘이 서로 다르잖아. 그러면 ★균형이 깨져서 속력이 붙지 않는다고!
나도 잘하고 싶은데… ▶생각해야 할 게 너무 많아.
하면 다 돼 우리 될 때까 해 보자.
빨리! 세게! 균형 잡고! 빨리! 세게! 균형 잡고!
좋아, 좋아! 조금만 더!!!
파바바박

★균형 : 어느 한쪽으로 치우치지 않고 고른 상태.
▶생각 : 사물을 헤아리고 판단하는 작용.

우아~ 이번엔
진짜 잘했어!
척

이런, 이런~
역시 난 타고난
스케이터인 건가?
쓱
쓱
하여간
칭찬하면
안 된다니까….

어?
꼬르르륵

누리야,
너 배고파?
그, 그게…
오랜만에 좀
움직였더니 금방
배가 고프네.
파하하

휴게실에서
간식거리 챙겨 올게!
좀 쉬고 있어~
두리번

이야~
우리 누리가
제법이네!
두리번
이 목소린…
미니 빅터? 근데
어딨는 거지?

▶ 스케이터 : skater. 스케이팅을 하는 선수.
▶ 휴게실 : 잠시 머물러 쉴 수 있도록 마련해 놓은 방.

헐~ 여기
있었네?
짜잔!
스텔스 기능을
써 봤는데, 어때?
감쪽같았어?
스텔스 기능은
갑자기 왜?
왜긴~ 인간들
눈을 피해서 마음 편하게
데이터를 모으려고
그런 거지!

덕분에 데이터를
쏠쏠하게 모았다고!
미니 빅터,
너 정말
대단하다!

풋~ 나도 알아.
앗! 저 인간이 벌써
돌아왔잖아?
스ㅡㅡ
그럼
나중에 보자,
누리야!

▶ 스텔스 : stealth. 모든 탐지 기능에 대응해 숨기거나 감출 수 있는 기술.

▶ 쏠쏠하다 : 품질이나 수준, 정도 등이 괜찮거나 기대 이상이다.

한편
연습하려면 밖으로 나가야 하는 거 아냐?
우리 스포츠단엔 스노보드 크로스 연습장이 따로 없어.
그럼 지금 나더러 연습도 안 하고 시합에 나가라는 거야?
그럴 리가 있나!

도착했어. 바로 여기야!
여긴 그냥 창고 같은데?

깜짝 놀랄 준비나 해.
머쓸도 은근히 허풍이 심하다니까….
끼이익

파랑새 스포츠단의 자랑, 최첨단 가상 현실 연습장이야!
우아!!!

▶ 허풍 : 실제보다 지나치게 과장해 믿음이 가지 않는 말이나 행동.
▶ 최첨단 : 시대나 유행의 맨 앞.

▶가상 체험으로
스노보드 크로스를 배울 수 있어.
무려 내가 직접 만들었다고!
자, 잠깐만….
혹시 전에 이걸로
연습한 인간이
있긴 해?
아니~
네가 처음이야.
영광이지?
내가 처음?
그럼 ▶안전성도
검증되지 않은 거네?
싫어! 절대 안 타!!!
샤
샥
하지만…
스노보드 크로스 연습장이
없는 걸 어떡해. 알지?
이번 시합에서 지면 여기가
어떻게 되는지….
푹
그래도 안 돼~
위험한 건
싫다고.
대신 이걸로
연습해서 이기면
네가 먹고 싶은 거
다 사 줄게!
저, 정말?
그럼 더는
뺄 이유가
없지!
폴짝
딸칵
딸칵

▶ 가상 체험 : 실제로 존재하지 않는 상상의 공간에서 실제처럼 보고, 듣고, 겪는 일.
▶ 안전성 : 위험이나 고장이 생길 염려가 없는 성질.

자~ 이걸 쓰면
신세계가
펼쳐질 거야!

짜장면! 케이크!
피자! 모두 다
기다려라!

우아~ 이게
다 가짜라고?
말도 안 돼!
내가
최첨단이라고
했잖아.
초보 코스
중급 코스
고급 코스
선수 코스
타닥
타닥
그럼 어디 한번
시작해 볼까?
바람까지
느껴지잖아!
완전 대박~

▶ [94쪽] 검증 : 검사해서 증명함.
▶ 신세계 : 처음 경험하는 새로운 세계.

점프 코스
날아오를 수 있게 경사진 구간
뱅크 코스
초승달 모양으로 휘어진 구간
롤러 코스
낮은 언덕 형태가 이어진 구간
스노보드 크로스 경기는 점프, 뱅크, 롤러 코스 등이 다양하게 조합되어 있어서 코스별 맞춤 기술이 필요해!
우, 움직이잖아?
위이이잉
퉁

▶ 경사 : 비스듬히 기울어짐.
▶ 조합 : 여럿을 한데 모아 한 덩어리로 짬.

다짜고짜
출발부터
하기 있어?
▸백문이
불여일견!
일단 부닥쳐야
빨리 늘지!
탁
탁
파
그래서 이제
내가 뭘 하면
되는데?
첫 번째는 점프 코스야!
몸을 웅크렸다 펴면서
최대한 멀리 뛰어야 해!
콩
콩
콩
꽈당
에고고~
내 엉덩이!

▶ 백문이 불여일견 : 아무리 여러 번 들어도 실제로 한 번 보는 것보다 못하다는 뜻으로, 경험하는 것의 중요함을 강조할 때 쓰는 말.

뛴 다음엔 균형을
유지해야 무사히
착지할 수 있어.
다시 해 보자!

이렇게 바로?
통

뱅크 코스가
곧이야!
준비됐지?

바둥
바둥
엄마야!
나가떨어지지 않게
★무게 중심을 단단히
잡았어야지!

내가 ▶도사야?
뭘 알아야
준비를 하지!

▶도사 : 어떤 일을 능숙하게 해내는 사람을 비유적으로 이르는 말.
★무게 중심 : 무게가 어느 쪽으로도 치우치지 않고 균형을 잡는 지점.

콩
콩
콩
아이고~
아라 죽네, 아라 죽어~
불쌍한 내 엉덩이~
엄살은 적당히 부리고,
처음부터 다시!
리셋
RESET
1시간 뒤
롤러 코스?
이 정도쯤이야!
통
통
통
뱅크 코스도
이젠 가뿐하지!
예~ 한 번도
안 넘어지고
끝까지 왔다!

▶ 엄살 : 아픔이나 괴로움을 거짓으로 꾸미거나 실제보다 부풀려 나타냄.

▶ 가뿐하다 : 별로 힘들지 않고 쉽다.

아휴~ 힘들어.
뭐 먹을 거 없어,
머쓸?
고소한 우유~
이제야 좀
살 것 같네!
푸하~
우유
우유
이따 또
연습해야 하니
많이 먹어 두자
스노보드 크로스 경기는
다양한 코스를 다른 선수들과
함께 내려와야 하는 만큼
▶변수가 많아.
그래? 그렇다면
연습을 한 번이라도
더 해 두는 게
좋겠네?
상대 선수가 어떻게
경기를 풀어 나갈 지는 아무도
▶예측할 수 없으니까.
훌륭해~
완전 운동
같았어
짝짝
짝짝

▶ 변수 : 어떤 상황이 변하거나 변할 수 있는 요인.
▶ 예측 : 미리 헤아려 짐작함.

경기 당일

흐아암~ 짧은 시간이지만 정말 활활 불태웠어. 얘들아, 컨디션은 좀 어때?

그걸 정말 몰라서 묻는 거니?
미, 미안. 엄청 피곤해 보이네….
이렇게 피곤한 건 난생처음이야.

끼이이익
이러다 시합에 늦겠어. 얼른 타~
신입이라고 우릴 너무 푸대접하는 거 아냐?
머쓸, 너무해! 복수할 거야!
덜컹
덜컹

▶ 불태우다 : 의욕이나 정열을 끓어오르게 하다.
▶ 푸대접 : 정성을 들이지 않고 아무렇게나 대함.

끼익
우아~ 여기 뭐야?
뭐가 이렇게 으리으리하지?
기죽을 것 없어. 큰 연습장에서 연습한다고 실력이 무조건 더 좋은 건 아니니까.

두둥
원톱 스포츠단
그래도 이건 너무 차이가 나는데?
초가집에 있다 궁궐에 온 기분이야!
거기 촌뜨기들~

▶[103쪽] 조무래기 : 어린아이들을 낮잡아 이르는 말.
▶[103쪽] 패자 : 싸움이나 경기에 진 사람.

꽁지 빼고
달아날 줄 알았더니
용케도 왔어.
그런데 저 조무래기들이
시합에 나온다고?
아주 지려고 작정을 했군.
우리
조무래기
아니야!
우씨!
길고 짧은 건
대봐야
알지 않겠나.
쯧쯧~ 이게 바로
패자의 발악인가?
뭐라고?
말이면 단 줄
알아?
억울하면
덤벼 보든가.
꽉
단장님,
이동하실
시간입니다.
홱
품위 없게….
이거 놔!

▶ 발악 : 앞뒤를 생각하지 않고 모질게 기를 쓰거나 소리를 지름.
▶ 품위 : 사람이 갖추어야 할 위엄이나 기품.

뭐야?
정말 상상
이상이잖아!
왠지
번쩍번쩍해
보여.
우리 마을
이런 곳이
있었다니….
봐 줄만은
하네, 뭐~

잠시 후
이렇게 인간이
많을 줄은 몰랐는데….
머쓸, 나 너무 떨려.
웅성
웅성

괜찮아.
▸긴장 풀고 ▸연습한 대로만
하면 돼, 누리야.

▶ 긴장 : 편안하지 않고 바짝 경계함.
▶ 연습 : 익숙하도록 되풀이해 익힘.

녀석들, 잔뜩
풀이 죽었군. 내가
예상한 대로야.
뻣
뻣
뻣
뻣
큰일이야.
긴장하는 바람에
몸이 경직됐어.

톡
톡
누리야, 진정하자.
연습 많이 했으니까
이길 수 있어!
출발할 때는 작용 반작용의 법칙을
이용해 치고 나가고, 직선 구간에선 가속도를,
마지막으로 곡선 구간에선 관성을
극복하기 위해 힘의 방향을 바꾸면….

▶ 경직 : 몸이 굳어서 뻣뻣하게 됨.
▶ 진정 : 격앙된 감정을 가라앉힘.

탕
움찔
앗!
탁
탁
탁
탁
느, 늦었다.
생각을 정리하다
출발 신호를 놓쳤어.
누리야, 경기에
집중해!
허둥지둥
쌩

그래, 집중하자!
아직 따라잡을
기회는 충분해!
슈 슈
슉 슉 슉

▶ 정리 : 일정한 순서나 체계를 가진 상태가 되게 함.
▶ 집중 : 한 가지 일에 힘을 쏟아부음.

슉슉슉
어딜
따라오려고!
와아
와아아
이런…. 거리가
점점 더 벌어지잖아.
와아아
곡선 구간에서
상대 선수는 아마
속력을 줄이겠지.
와아
스스스
지금부터
속력을 높이면
이길 수 있어!
팟
팟
팟

▶ [106쪽] 기회 : 어떤 일을 하는 데 적절한 시기나 경우.
▶ 거리 : 공간적으로 떨어진 길이.

안 돼, 누리야.
그렇게 달리다간….
모, 몸이
또!
퍼걱
으앗!!!
주르륵
이런….
따라잡으려고
곡선 구간에서
너무 무리했어.
뭐야. 생각했던
것보다 훨씬 더
▶시시하잖아?

▶시시하다 : 대단한 데가 없고 하찮다.
▶[109쪽] 중요 : 귀중하고 요긴함.

와아
어쩜 좋지….
▶중요한 첫 경기를
다 망쳐 버렸어.

푹
얘들아, 미안해.
내가 잘했어야
하는데….
괜찮아. 누구라도 이렇게
큰 경기장에서 첫 번째 선수로 나섰다면
제 실력을 ▶발휘하긴 힘들었을 거야.
척
오름아….
우리는
▶팀이고, 아직
두 경기나
남아 있잖아?
맞아!
진짜 승부는
지금부터야!
정말
고마워.
어쩌면
첫 경기에서 진 게
약이 될 수도 있겠군.

▶ 발휘 : 재능이나 능력을 떨쳐 드러냄.
▶ 팀 : team. 운동 경기의 단체.

인포그래픽 핵심 과학

속력과 속도 알아보기

■정의

일정한 시간 동안 물체가 실제로 이동한 거리를 말한다. 이때, 물체의 방향은 고려하지 않는다.

■계산법

이동 거리÷걸린 시간

속력

속도

■정의

일정한 시간 동안 물체의 위치 변화 정도를 말한다. 물체의 속력뿐 아니라, 방향까지 동시에 고려한다.

■계산법

★변위÷걸린 시간

Q 누리가 300m 운동장 한 바퀴를 60초 만에 달려 다시 출발선에 도착했다. 이때 누리의 속력과 속도는 어떻게 다를까?

A 속력 : 300m÷60초=5m/s

속도 : 0m÷60초=0m/s

(※ 처음 출발한 곳으로 다시 돌아왔기 때문에 위치의 변화가 없음)

★변위 : 최종 위치와 처음 위치 사이의 차이.

공을 사용하는 스포츠의 최고 속도 알아보기

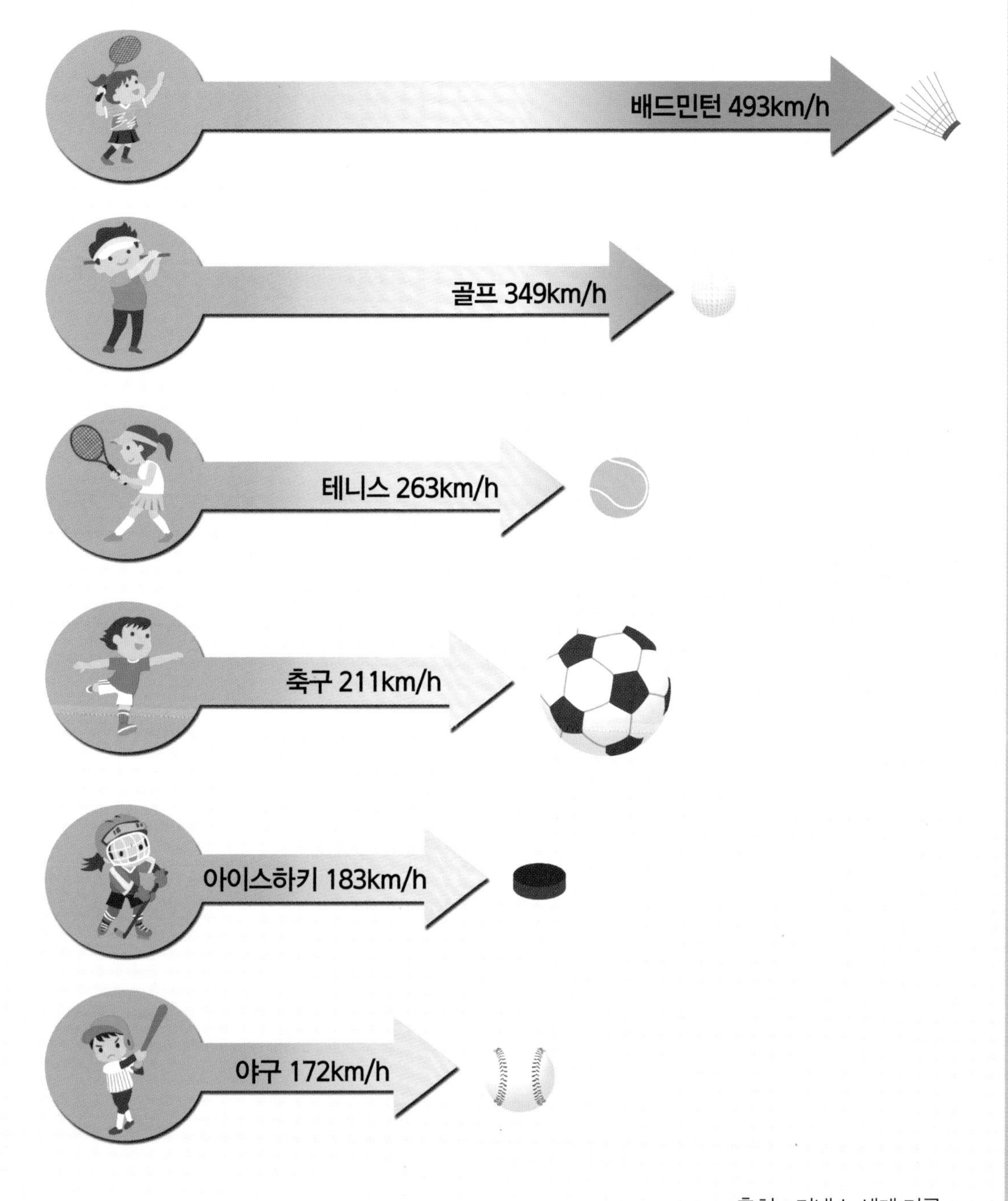
배드민턴 493km/h
골프 349km/h
테니스 263km/h
축구 211km/h
아이스하키 183km/h
야구 172km/h

출처 : 기네스 세계 기록

플러스 통합 과학

생명과학으로 기초물리읽기

체격으로 어떤 종목 육상 선수인지 알 수 있다고?

폭발적인 스피드로 쏜살같이 내달리는 100m 육상 선수와 42.195km라는 엄청난 거리를 일정한 속력으로 완주해야 하는 마라톤 선수는 체격이 확연히 다릅니다. 단거리 육상(100m, 200m, 400m) 선수는 허벅지가 굵고 근육질이지만, 장거리 육상(3,000m, 5,000m, 10,000m, 마라톤) 선수는 상대적으로 허벅지가 얇고 마른 편이지요. 같은 육상 종목인데도 왜 이런 체격 차이가 생기는 걸까요? 그 이유는 육상 선수들의 근육에서 찾을 수 있습니다.

난 울끈불끈
단거리
육상 선수!
난 슬림탄탄
장거리
육상 선수야!

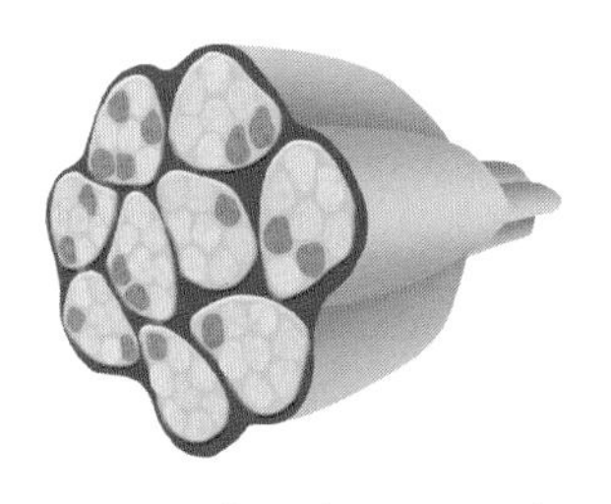
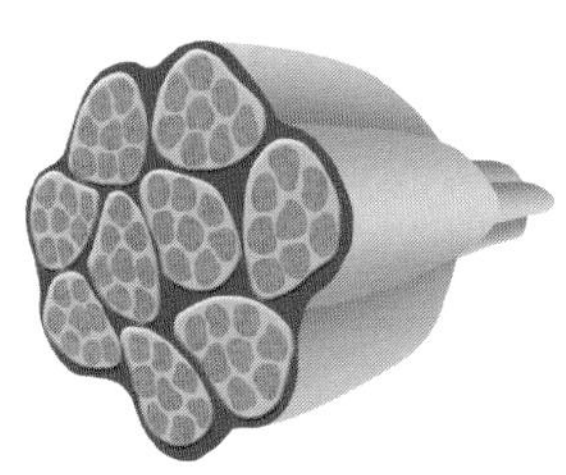
▲백색근(왼쪽)과 적색근(오른쪽)

운동에 관여하는 우리 몸의 근육은 크게 두 가지로 구분할 수 있어요. 백색근이라고도 불리는 속근 섬유와 적색근이라고도 불리는 지근 섬유가 바로 그것이지요. 단거리 육상 선수의 경우 근육에서 차지하는 속근 섬유의 비율이 높은 반면, 장거리 육상 선수는 지근 섬유가 높은 비율을 차지한답니다. 부피가 큰 속근 섬유는 ▸근수축이 빠르지만, 피로에 빨리 지치기 때문에 오랜 시간 사용할 수 없습니다. 짧은 순간에 승부가 판가름 나는 단거리 육상 경기에 적합하지요. 반대로 부피가 작은 지근 섬유는 근수축은 느려도 피로에 강하기 때문에 ★지구력을 발휘해야 하는 장거리 육상 경기에 어울린답니다.

사람들은 속근 섬유와 지근 섬유의 비율을 서로 다르게 가지고 태어난다고 합니다. 근육의 비율에 따라 잘할 수 있는 운동이 어느 정도 정해져 있다고 하니 단거리 육상 선수, 또는 장거리 육상 선수가 된 것은 어찌 보면 운명이라고 할 수도 있겠네요.

▶근수축 : 근육이 신경의 자극 등에 반응해 오그라드는 현상.
★지구력 : 오랫동안 버티며 견디는 힘.

사물로 기초물리 읽기

운동 경기에 사용하는 공의 모양은 왜 다를까?

농구, 배구, 야구, 축구, 탁구…. 앞서 언급한 운동들은 모두 공을 이용한다는 공통점을 가지고 있습니다. 지름 약 2.5cm의 셔틀콕부터 약 30cm의 농구공까지 다양한 크기와 모양의 공들이 구기 종목에 널리 사용되고 있지요.

배구
야구
테니스
당구
골프
탁구
배드민턴
농구
축구
볼링
족구
럭비

▲구기 종목에 사용하는 여러 가지 공

배드민턴 경기에 쓰는 셔틀콕은 무게가 매우 가벼운 편이라★순간 속도가 다른 공에 비해 훨씬 빠릅니다. 그러나 뒤에 달린 깃털 덕분에 속력이 금방 줄어 멀리 날아가지 못하는데요. 이런 특징 때문에 상대 선수가 셔틀콕을 받아칠 수 있지요. 한편, 공의 탄성은 공이 얼마나 멀리 날아갈 수 있는지 결정하는 중요한 요인입니다. 야구공은 고무, 코르크, 털실 등을 가죽으로 두른 뒤, 실로 꿰매 만드는데요. 만약 야구공을 탄성력이 큰 고무로만 제작한다면 타자가 친 공이 모두 홈런이 되어 경기가 지루해졌을지도 몰라요. 그런가 하면 농구공이 주황색인 데에도 이유가 있습니다. 대부분의 농구 코트는 바닥이 붉습니다. 계속 코트 바닥을 보며 공을 튕겨야 하는 농구 경기에서 붉은 계열의 공을 사용하면 선수들은 눈의 피로를 덜 느낄 수 있지요. 이처럼 종목에 따라 공은 천차만별의 특징을 가지게 됩니다. 눈여겨보지 않았던 공에도 과학이 숨어 있고, 덕분에 우리는 더욱 재미있는 운동 경기를 즐길 수 있는 셈이지요.

가볍고 멀리 찰 수 있는
공을 만들기 위해 초기엔
돼지 방광으로 럭비공을 만들었어!
그 모양이 타원형이었는데,
오늘날까지 이어지고 있지!

★순간 속도 : 짧은 시간 동안 물체가 이동한 직선거리.

4장 스포츠에 숨겨진 힘과 균형의 비밀은 무엇일까?

잠시 후
큰소리치더니…. 머쓸, 이게 다 무슨 꼴인가?
저벅
저벅

겨우 한 경기 이긴 것 가지고 ▸우쭐대지 마.

▸예나 지금이나 자신감 하나는 최고라니까. 그런데 이를 어쩌나?
파지지직

▶ 우쭐대다 : 의기양양해서 자꾸 뽐내다.
▶ 예 : 아주 먼 과거.

스노보드 크로스
경기엔 무려 청소년
국가 대표 선수가
▶출전하거든.

씨익

아~ 파랑새 스포츠단이
이분들이구나. 오늘 경기
기대하고 있어요. 한▶수
제대로 가르쳐 주세요!
꾸벅
크크

모쪼록
이겨 주길 바라네.
멀리 왔는데 그래도
남은 경기는 다하고
가야지 않겠나.
크윽….

야! 너! 표정이
왜 그래? 눈을 왜
그렇게 뜨냐고!!!
참아,
참아!
아라야,
진정해!

▶출전 : 시합이나 경기에 나감.
▶수 : 일을 처리하는 방법.

자신 있지?
내가 시키는 대로만 하면 돼.
단장님도 참~ ▶걱정도 팔자세요.

녀석들에게 질 거라곤 생각 안 하지만… 이왕이면 확실한 게 좋거든, 나는.
경기가 시작되면 정신 똑바로 차려야 해!
그게 무슨 소리야?
▶방심하면 안 돼. 최고봉이라면 무슨 방법을 써서라도 이기려고 들 테니까….

▶ 걱정도 팔자다 : 하지 않아도 될 걱정을 자꾸 하거나, 남의 일에 참견하는 사람에게 놀림조로 이르는 말.

잠시 후
오름이랑 나는 ▸결승선에서 기다리고 있을게!
아라야, 파이팅!

어디 이번엔 아라를 따라가 볼까?

저기… 아라야, 부탁 하나만 해도 될까?
새삼스럽게 부탁은. 뭔데, 말만 해!

▶ [116쪽] 방심 : 마음을 다잡지 않고 풀어 놓아 버림.
▶ 결승선 : 승부를 결정짓는 장소에 가로로 치거나 그은 선.

파랑새 스포츠단은…,
날 따르는 아이들은… 내겐
가족이나 마찬가지야.
가족?
난 말이야, 가족처럼
소중한 그 아이들과
계속 함께하고 싶어.
머쓱….
부탁할게, 아라야.
이번 경기에 이겨서
파랑새 스포츠단을 지키는 데
힘을 보태 줘….
난 또 뭐라고~
알았어, 나만 믿어!
툭
START

▶ 마찬가지 : 거의 같은 상태인 것.
▶ 부탁 : 어떤 일을 해 달라고 청하거나 맡김.

가족이라….
저벅
저벅

도대체 가족이란
어떤 걸까?
철컥

지구에 머무르다 보면
우리도 언젠가 가족 같은
인간을 만날 수 있을까?
척

준비!
그래, 뭐가 됐든
상관없어. 지금 가장
중요한 건….
내가 반드시
이겨야 된다는
사실이니까!

▶ 준비 : 어떤 일을 행동으로 옮기기 위한 마음가짐을 미리 갖춤.
▶ 상관없다 : 서로 아무런 관계가 없다.

텅
텅
간다!!!

촤아아악
촤아아악
처음부터
제법 속력을
내시네?

힐끗
겨우
이 정도로 뭘~

▶[121쪽] 분부 : 윗사람이 아랫사람에게 명령이나 지시를 내림.
▶[121쪽] 겁 : 무서워하는 마음.

어서 시작해.
지금 당장 놈을
밀어붙여야 해!
▶분부대로
합지요~

파바박

뭐, 뭐야?
붙지 마, 위험해!

벌써부터 ▶겁먹은
▶표정을 지으면 쓰나.
안 그래?
씨익

미안하지만
네가 가야 할 길은 처음부터
정해져 있었단 말이지!
파바바박
파박
왜 이래.
진짜 부딪히려고
▶작정했나?

▶ 표정 : 마음속에 품은 감정이 얼굴에 드러남.
▶ 작정 : 일을 어떻게 하기로 함.

좀 이상해.
이상하다고? 뭐가?
저것 봐. 원톱 스포츠단 선수가 아라를 구석으로 몰고 있잖아? 이제 곧 점프 코스인데… 무슨 속셈이지?
아라야, 졸지 말고 경기에 집중하자!
아라, 출격!
파스
휘이이이익
반가웠어, 친구~
뭐라는 거야, 진짜!
슈우욱

▶졸다 : 위협적인 대상 앞에서 겁을 먹거나 기를 펴지 못하다.
▶출격 : 적을 공격하러 나감.

꼬마야, 최대한
높이 뛰어오르렴.
그럴수록 균형 잡기가
더 힘들어질 테니까….
뭐가 저렇게
번쩍거려?
반짝
반짝
어쩌면 좋아.
저러다
미끄러지겠어!
척
미끌
▸난데없이
웬 얼음 바닥?
휘청
휘청
최고봉이 판
▸함정이다!

▸난데없다 : 갑자기 불쑥 나타나 어디서 왔는지 알 수 없다.
▸함정 : 남을 해치기 위한 계략을 비유적으로 이르는 말.

추아아악
비틀
비틀
이런, 이런~
비틀거리는 걸 보니
게임 끝났군.
아라야! 침착하고,
일단 균형부터 잡아!
슉
됐다! 자세를 낮춰서
균형을 잡았어!

▶침착 : 행동이 들뜨지 않고 차분함.
▶[125쪽] 격차 : 어떤 대상과 서로 동떨어진 차이.

보드 좀 타는데?
하지만 이 격차를
좁히진 못할걸?
슈

슈욱
딱 기다려!
이 정도 거리는
금방 따라잡을 수
있으니까!
슉

후유~
십년감수했네.
균형 잡기가
쉽지 않았을 텐데!
아라, 대단하다~
다른 함정이
남아 있을지도 몰라.
아라야, 조심해….

▶ 십년감수하다 : 타고난 목숨이 십 년이나 줄어들 정도로 위험한 일을 겪었다는 뜻으로, 매우 놀랐을 때 쓰는 말.

이번엔
뱅크 코스네!
휘어진 구간이라
속력을 높이진 않을 거야.
그렇다면….
좌아악
여기에서
따라잡자!
슈우욱
뭐야, 쟤. 설마
저기에서 속력을 내려는 거?
뱅크 코스가 코앞인데?

▶[127쪽] 해머 : hammer. 금속을 이용해 만든 공으로, 해머던지기 경기에 사용하는 기구.
▶[127쪽] 반지름 : 원의 중심과 원의 한 점을 이은 선. 또는 그 선의 길이.

톡톡 과학 원심력과 구심력은 무엇일까?

▶해머에 끈을 매달아 돌리면, 해머는 끈의 길이를 ▶반지름으로 하는 원둘레를 따라 돌게 된다. 이처럼 어떤 물체가 일정한 원둘레를 따라 움직이는 운동을 원운동이라고 한다.

원둘레를 따라 해머를 돌리기 위해서는 원의 중심 방향으로 잡아당기는 힘이 필요한데, 이 힘을 구심력이라고 한다. 만약 해머 위에 사람이 서 있다면 그 사람은 원운동을 하는 동안 마치 바깥쪽으로 튕겨져 나갈 것 같은 힘을 느끼게 되는데, 이 힘을 원심력이라고 한다. 원심력과 구심력은 크기가 같고 방향은 반대이다. 또, 구심력은 실제로 작용하는 힘이고, 원심력은 원운동을 하는 물체에 나타나는 ★관성력으로 가상의 힘이다.

구심력

괜찮아.
난 할 수 있어!
뱅크 코스에 ▶진입하기 전에 속력을 최대한으로 올린다!
꾸욱

위험해….
그러다 튕겨 나갈 수도 있어.

아라야, 내가 했던 실수를 반복하면 안 돼. 제발, 제발!
SH

★관성력 : 정지한 물체는 계속 정지하려, 움직이는 물체는 계속 움직이려 하는 힘.
▶진입 : 어떤 곳으로 움직여 들어섬.

슈욱
슈우욱

흐음~ 이번엔 진짜 위험하겠다. 내가 좀 도와주….
…려고 했는데, 구심력을 ▶이용하네? 역시 아라는 ▶대단해!
척

▶천하무적 아라는 안 져!
슈우욱

▶ 이용 : 대상을 필요에 따라 이롭게 씀.
▶ 대단하다 : 눈에 띄게 뛰어나다.

아라가 만든
구심력이★회전할 수 있는
힘을 만들었어!
구심력이 없으면 움직이던 방향으로 계속 가려고 함
아라가 만들어 낸 구심력
구심력을 받아 힘의 방향이 바뀜

스윽
최고봉도!
원심력도!
절대 날 막을 수
없다고!!!
스스슈슈슉
버틴다, 버텨!
아라가 버티고 있어!
완전
멋있어!

▶[128쪽] 천하무적 : 세상에 겨룰 만한 상대가 없음.
★회전 : 방향을 바꾸어 움직임.

뭐야?
언제 여기까지
쫓아왔지?
좌아아악

뱅크 코스를
저렇게 빨리
▶통과하는 게
말이 돼?
벌떡
이렇게 잘
해낼 줄은 미처
몰랐어. 아라야,
정말 고맙다!
꽉

너, ▶운 좋다~
운이 아니라
▶실력이거든!
슈우욱
슈욱

▶통과 : 어떤 곳을 지나감.
▶운 : 어떤 일이 좋게 이루어지는 운수.

곧 롤러 코스야.
네가 뭘 하면 되는지는
알고 있지?
이번에야말로
완전히
보내 주마!

어허~
이쪽으론 내가
갈 거야!
슈우웅
샤샤샤샤샥
저리 가!
왜 또 이렇게
붙는 거야?

최고봉, 이번엔
또 무슨 꼼수를
부리려고….

머쓸, 기대해도 좋아.
널 위해 아주 멋진 선물을
준비했으니 말이야.

▶ [130쪽] 실력 : 실제로 갖추고 있는 힘이나 능력.
▶ 꼼수 : 쩨쩨한 수단이나 방법.

엄청 거치적거리네.
안 되겠다, 앞지르자!
슈슈슉
어딜 가려고!
샤샤샥
할 수 없지. 일단 뒤로 빠져서….
스윽
그렇겐 안 되지!
스스스
다 왔다!
슈우욱
슈욱
엥? 뭐가 다 온 건데?

▶거치적거리다 : 거추장스럽게 자꾸 여기저기 걸리거나 닿다.
▶[133쪽] 라이벌 : rival. 같은 분야에서 서로 경쟁하는 사람.

만약 이번에도
살아남으면 그땐
내 라이벌로
인정해 주지!
스윽
하~ 나 쟤,
진짜 별로야.
구시렁
구시렁

드드드득

맙소사!
아라를 몰아붙인
이유가… 바로
저거였어?
어떤가, 머쓸?
내가 준비한 선물이
마음에 드나?

▶ 선물 : 남에게 어떤 물건을 줌.
▶ 마음 : 사람이 사물의 좋고 나쁨을 판단하는 심리의 바탕.

쭈
뭐야?
돌멩이가 저렇게나
많다니….
뚱
어떡하면 좋아.
난 차라리 안 볼래….
으으…

아무리 나라도
스노보드를 타고
저길 지나가는 건
불가능해.
슈욱
촤아악

▶ 불가능 : 일어나거나 이루어질 수 없음.
▶ [135쪽] 돌파 : 쳐서 깨뜨려 뚫고 나아감.

젠장! 최고봉에게
스포츠맨 정신을
기대한 내가 바보였어!

그렇다면
방법은 단 하나!

최고 속력으로
돌파한다!
슈우욱
추아아아아악
제정신이 아니군.
자폭이야!

아라
너, 설마….
맙소사!
안 돼, 아라야!
그건
무리라고!
FINISH

▶ 자폭 : 자기가 지닌 폭발물을 스스로 터뜨린다는 뜻으로, 스스로 어려운 일을 떠맡는 것을 비유적으로 이르는 말.

할 수 있다!
난 할 수 있어!
지나갈 수
없다면!
꾸욱
날아서!
팍
간다!!!
부우우웅

헐~
재가 지금
뭐 하는 거야?
기분 정말
끝내주잖아~

▶ 기분 : 대상이나 환경 등에 의해 마음에 절로 생기는 감정.
▶ 끝내주다 : 매우 만족스럽거나 완벽해서 다른 것이 더 필요하지 않을 정도로 굉장하게 하다.

우아~
아라가 붕
날고 있어!
내 눈으로
보면서도
믿기지 않아!

분명 능력치를
조정했는데….
아라는 정말
운동 천재인가?

다 왔다!
이제 슬슬
내려가자!

휘이이익
퉁퉁퉁

▶[139쪽] 다 된 죽에 코 풀기 : 거의 다 된 일을 망쳐 버리는 행동을 하는 것을 비유적으로 이르는 말.

어, 어?
날 앞질렀네….
척

이, 이런!
턱
엄마야!
파닥
파닥
파닥
파닥

이제 ★스피트를
올릴 차례야!
쯧쯧~
▶다 된 죽에 코를 풀어도
▶유분수지….

▶ 유분수 : 사람으로서 일정하게 지켜야 할 한계가 있음.
★ 스퍼트 : spurt. 어떤 지점에서부터 전속력으로 힘껏 달림.

것 봐, 내가
운이 아니라
실력이랬지?
휘청
휘청
그럼 난
먼저 간다!
슈우욱

슈
슈
슉
파랑새 스포츠단의
아라 선수가 결승선을
먼저 통과하며 승리를
차지했습니다!
콰아아아아

▶차지 : 사물이나 공간, 지위 등을 자기 몫으로 가짐.

▶[141쪽] 경기력 : 운동선수나 팀이 운동 경기를 해 나가는 능력.

아라야,
아라야~ 내 친구
아라야!
아라야,
정말 엄청난
경기력이었어!
FINISH
나 완전
소름 끼쳤잖아!
왜? 나도 소름
쫙 돋았는데. 특히 마지막
롤러 코스에선… 와~
호들갑스럽긴~
하긴~ 그건
내가 생각해도
멋이라는 게
폭발했지!
척
두리번
두리번
그런데 머쓸은…
아니, 단장님은
어디 갔어?

▶ 소름 : 춥거나 무서울 때 살갗이 오그라들며 겉에 좁쌀 같은 것이 도톨도톨하게 돋는 것.
▶ 폭발 : 불이 붙으며 갑작스럽게 터짐.

최고봉, 네 이놈! 네 죄를 네가 알렸다!
옥신각신
죄라니? 무슨 소리를 하는지 당최 모르겠군.

뭐? 몰라? 그럼 그 얼음덩어리랑 돌멩이는 다 뭔데?
빽
글쎄 난 모른대도? 괜히 생사람 잡지 마!

라이브 영상 힘의 합성과 평형

한 물체에 작용하는 둘, 또는 그 이상의 힘을 하나의 힘으로 나타내는 것을 힘의 합성이라고 하며, 여러 개의 힘을 합성해 얻은 하나의 힘을 합력이라고 한다. 줄다리기 경기를 할 때 양쪽에서 같은 크기의 힘으로 줄을 당기면, 줄은 아무런 힘도 작용하지 않는 것처럼 어느 쪽으로도 움직이지 않는다. 이처럼 일직선상에서 한 물체에 크기가 같은 두 힘이 반대 방향으로 작용하면 합력이 0이 되기 때문에, 그 물체에 작용하는 ★알짜 힘도 0이 된다. 이때 물체에 작용하는 힘들이 평형을 이루었다고 한다.

라이브과학 앱으로 찍어 보세요

▶ 당최 : 도무지.
▶ 생사람 : 아무런 잘못이 없는 사람.

이번엔 어쩌다
이겼을지 몰라도
마지막 경기는
▶각오하는 게
좋을 거야!
척

최고봉, 자네
정말 어디까지
가려고 그러나….
멈칫

그때 내가
왜 그런 선택을 했는지
넌 절대 모르겠지.
당장
수술하지 않으면
위험해요.

단장님, 너무
마음 쓰지 마세요.
우리는 정정당당하게
이기면 돼요!
톡톡
오름아,
네 말이 맞아.
꼭 이겨서 우리가
옳다는 걸 증명해
보이자!
슥슥

★[142쪽] 알짜 힘 : 물체에 작용하는 모든 힘의 합력.
▶각오 : 앞으로 해야 할 일이나 겪을 일에 대한 마음의 준비.

인포그래픽 핵심 과학

쇼트 트랙에 숨겨진 과학 파헤치기

경기복
쇼트 트랙 선수는 마찰력의 영향을 덜 받기 위해 허리를 굽힌 상태로 경기를 진행한다. 우레탄과 래미네이트 같은 딱딱한 소재로 일체형 경기복을 만들면 허리가 쉽게 들리지 않아 경기력 향상에 도움이 된다.
원심력
구심
중력
왼발
왼발보다 빙판을 지치는 바깥쪽 발(오른발)의 날이 더 휘어 있다.
오른발

▶지치다 : 얼음 위를 미끄러져 달리다.

전체 길이

111.12m

곡선 구간

53.41m

경기장

곡선 구간이 큰 비중을 차지하는 쇼트 트랙 경기에서는 원심력에 의해 몸이 바깥쪽으로 쏠려 미끄러지기 쉬운데, 이 원심력을 이겨내는 것이 경기의 승패를 좌우한다.

장갑

아이스 링크의 빙판을 짚을 때 속력이 떨어지는 것을 막기 위해 장갑 끝부분에 에폭시 수지를 덧바르는데, 미끄러운 에폭시 수지는 장갑과 빙판 사이의 마찰력을 줄이는 데 도움이 된다.

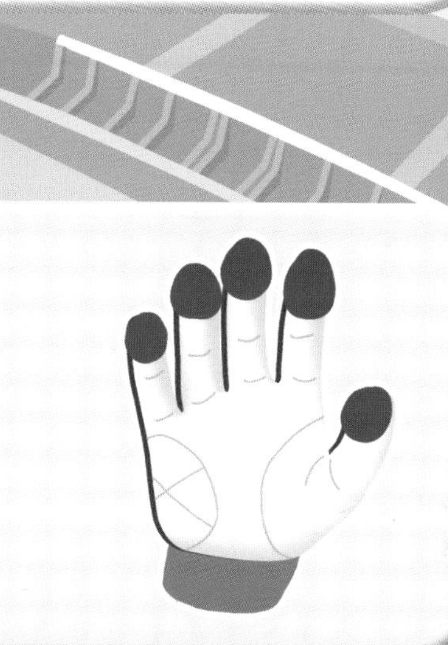

스케이트

스케이트 날은 균형을 잘 잡기 위해 보통 중앙에 붙어 있다. 하지만 시계 반대 방향으로 도는 쇼트 트랙의 경우 곡선 구간에서 왼쪽으로 몸을 기울이기 때문에 스케이트 날을 왼쪽으로 치우치게 제작해 속력을 높이도록 돕는다.

플러스 통합 과학

사물로 기초물리읽기 스케이트 모양이 다 똑같은 게 아니라고?

얼음 위에서 하는 경기를 빙상 경기라고 합니다. 봅슬레이, 스피드 스케이팅, 아이스하키, 컬링, 피겨 스케이팅 등이 모두 빙상 경기에 속하지요. 여러 가지 빙상 경기 중 스피드 스케이팅, 피겨 스케이팅, 아이스하키의 공통점이 있습니다. 바로 신발 밑창에 금속 날이 부착된 아이스 스케이트를 신고 경기를 치른다는 점입니다. 그런데 종목에 따라 더 좋은 기록을 달성하기 위해 모양이 다른 스케이트를 신는다는 사실을 알고 있나요?

▲피겨 스케이팅

0.01초 차이로 희비가 교차하는 스피드 스케이팅용 스케이트는 스케이트 날이 길고 평평해 직선 구간에서 최고 속력을 낼 수 있도록 만들어집니다. 반면, 음악에 맞춰 화려한 기술을 선보이는 피겨 스케이팅용 스케이트는 스케이트 날이 길지 않고, 두꺼운 것이 특징이에요. 빠르기보다는 점프 동작 후의 안전한 착지를 고려한 거지요. 또, 날의 앞부분에 이빨 모양의 톱니가 있는데 이는 회전이나 점프 동작을 할 때 유용하게 사용된답니다. 마지막으로 퍽을 쳐서 상대 팀의 골에 더 많이 넣는 팀이 승리하는 아이스하키용 스케이트는 종아리 아래 근육을 보호하기 위해 뒤쪽이 좀 더 높게 되어 있습니다. 골키퍼만 신을 수 있는 골키퍼 스케이트는 양 끝을 막아 퍽이 통과할 수 없도록 제작되지요.

8
2
▲아이스하키

경기의 특성에 따라 스케이트의 형태가 다르다니, 스포츠와 과학은 떼려야 뗄 수 없는 관계인가 봅니다.

문화로 기초물리 읽기

올림픽이 끝난 뒤 또 다른 올림픽이 열린다고?

여러분은 수호랑과 반다비라는 이름을 들어 본 적이 있나요? 백호 수호랑과 반달가슴곰 반다비는 지난 2018년에 열린 평창 올림픽과 패럴림픽의 마스코트로, 전 세계적으로 큰 사랑을 받았습니다.

PyeongChang 2018

▲수호랑(왼쪽)과 반다비(오른쪽)

지구촌의 축제인 올림픽은 고대 그리스의 ▸제전 경기 중 하나인 올림피아제에서 시작되었습니다. 393년을 마지막으로 중단되었던 올림피아제는 약 1,500년 뒤인 1896년, 프랑스의 교육가 쿠베르탱에 의해 ▸근대 올림픽으로 부활하게 되는데요. 쿠베르탱은 국제 올림픽 위원회(IOC)를 조직한 뒤, 회장으로서 올림픽의 발전을 위해 일생을 바쳤답니다.

▲피에르 드 쿠베르탱(1863~1937년)

그런데 올림픽이 막을 내리면 또 하나의 올림픽인 패럴림픽이 시작되는 것을 알고 있나요? 패럴림픽은 신체 장애인들이 참가하는 스포츠 대회예요. 하반신 마비 환자의 재활 치료를 위해 시작된 경기가 국제적인 경기로 발전했고, 1960년, 로마 올림픽 이후부터는 올림픽 개최지에서 올림픽이 끝난 뒤 열리기 시작했지요. 처음에는 하반신 마비를 뜻하는 '패러플리젝(paraplegic)'과 올림픽을 합쳐 패럴림픽이라 이름 붙였어요. 그러나 점차 선수들의 폭이 넓어지자 이후에는 '동등한'이라는 뜻을 가진 '패럴렐(parallel)'과 올림픽을 합쳐 사용하게 되었지요. 불가능에 맞서 도전하는 패럴림픽 참가 선수들의 모습은 보는 이로 하여금 진한 감동을 느끼게 한답니다.

▸ **제전 경기** : 고대 그리스에서 종교 의식의 하나로 진행된 경기.
▸ **근대** : 얼마 지나지 않은 가까운 시대.

미래에는 어떤 스포츠가 나타날까?

원톱 스포츠단!
우릴 우습게 봤다간
큰코다치지!
이글 이글
이글
이글
너희에게
남은 건 패배뿐이다!
왜냐고? 마지막 경기엔
이 차오름이 출전하거든!
어때? 내가
시킨 대로 하니까
완전 멋있지?

글쎄…. 난 좀
부끄러운데.

어라?
저건 뭐지

▶큰코다치다 : 망신을 크게 당하다.
▶[149쪽] 빙벽 : 얼음벽.

한창 뜨는
익스트림 스포츠,
빙벽 등반이네!

실내에
이런 연습장이
있는 건 처음
봤어요!

최고봉 녀석…
연습장 하나는 신경
써서 잘 만들었군.
쭈굴 쭈굴

깡

탁

▶등반 : 험한 산이나 높은 곳의 정상에 이르기 위해 오름.
▶신경을 쓰다 : 몹시 세심하게 살피거나 마음을 쓰다.

우아~ 대단해!
대체 저길 어떻게
올라가는 거지?
중력을 이기고
정상에 다다르려면
양손으로 버틸 수 있는
힘이 필요하겠지?
떨어지지 않으려면
양발을 이용해 단단히
지탱할 줄도 알아야 해!

톡톡 과학 중력 가속도란 무엇일까?

지구가 물체를 잡아당기는 힘을 중력이라고 하고, 물체에 작용한 중력에 의한 가속도를 중력 가속도라고 한다. 중력 가속도는 물체의 질량과 관계없이 항상 일정하다. 즉, 높은 곳에 올라가 질량이 큰 공과 질량이 작은 공을 떨어뜨리면 동시에 땅에 떨어지는 것이다.

중력 가속도는 스포츠 분야에서도 쉽게 찾아볼 수 있는데, 베이스 점핑이나 윙슈트 플라잉 같은 익스트림 스포츠가 대표적이다. 극한 스포츠라고도 불리는 익스트림 스포츠는 위험 요소가 포함된 스포츠로, 대부분 속도감이 있고, 높은 곳에서 이루어지기도 하며, 특별한 장비가 필요한 경우도 있다.

우아~
신난다!
하늘을 나는
기분이야!

▶지탱 : 어떤 것을 버티거나 견딤.

▶베이스 점핑 : BASE jumping. 낙하산을 메고 높은 건물이나 절벽 등에서 뛰어내리는 스포츠.

실내 연습장이 아니라 낭떠러지에 매달려 있다고 생각해 봐.

빙벽 등반이 얼마나 아찔한 스포츠인지 잘 알겠지?

으으…
상상만 해도 울렁거려.

아니, 아니! 난 하나도 안 아찔하거든!

하프 파이프
경기장
그나저나 여기 엄청 크다. 연습장에 에스컬레이터가 다 있네!
위이이잉

▶[150쪽] 윙슈트 플라잉 : wingsuit flying. 날다람쥐처럼 팔과 다리 사이에 옷감을 붙인 특수 비행 슈트를 입고 높은 곳에서 뛰어내리는 스포츠.

그래 봤자
연습장이 다 거기서
거기지, 뭐~
하프 파이프
단장님, 그건 좀
아닌 것 같습니다!
이 정도면
거의 ▶하늘과 땅
▶차이 아닌가?
위이잉
나도 알아,
다 안다고…. 부러우면
지는 건데 져 버렸다.
흑
휙
에이~ 괜찮아요!
그래도 실력은
우리가 하늘이잖아요!
그, 그렇지?
역시 우리 오름이
최고라니까!

파
이프
장

▶ 하늘과 땅 : 어떤 사물들 사이에 커다란 차이가 있음을 비유적으로 이르는 말.
▶ 차이 : 서로 어긋나거나 다름.

오오~
이 운동은
또 뭐래?
벽이 아니라
전광판이었네.
위이잉
너희는 처음
보는 거지? 이건
크래쉬드 아이스라는
익스트림 스포츠야.
근데…
스케이트를 신고
저렇게 뛰어다녀도 돼?
위험할 것 같은데?
뭐 어때~
재미있기만
하겠는데!
팡

▶ **전광판** : 일정한 면 위에 수많은 작은 전구를 배열한 뒤, 그 전구가 켜지고 꺼짐에 따라 글자나 그림 등이 나타나게 만든 게시판.

쉬이익
쉭

뭐야, ▶평범한 아이스 링크가 아니잖아?
그러게. 스노보드 크로스처럼 코스가 ▶다양하네!

게다가 아이스하키 경기처럼 몸싸움까지 할 줄 알아야 하지!

▶ 평범하다 : 뛰어나거나 색다른 점 없이 보통이다.
▶ 다양 : 여러 가지 모양이나 양식.

몸싸움? 아무래도
힘쓰는 건 자신 있는 날 위한
맞춤 스포츠같은데?

파샤

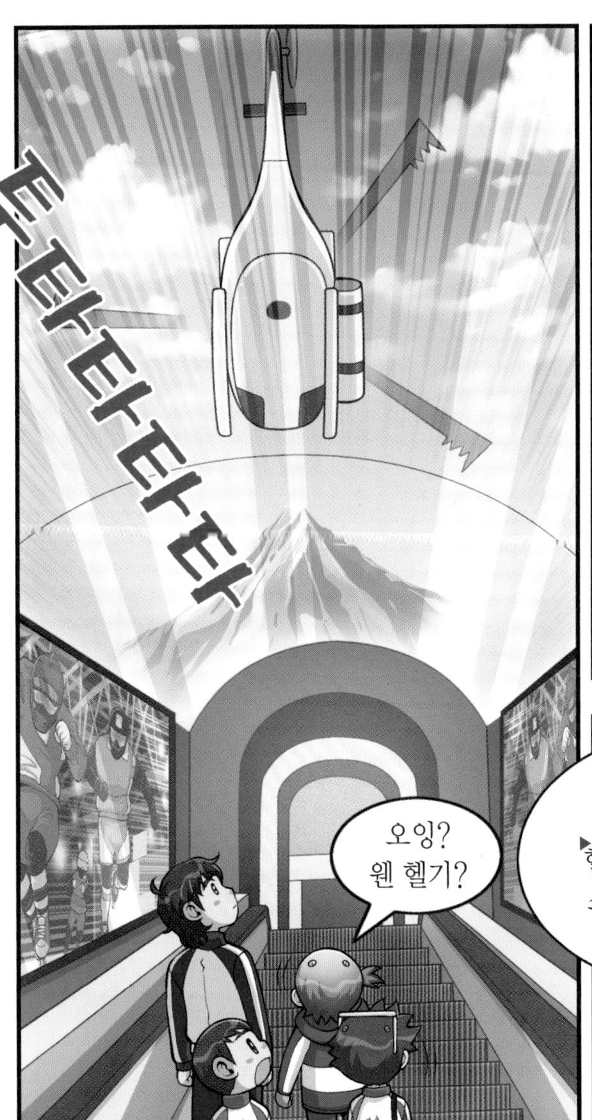
투타타타타타타
오잉?
웬 헬기?

슈슈슉
슉

이번엔 헬리 스키네!
높고, ▶험한 산을
▶헬리콥터로 올라간 뒤,
스키를 타고 내려오는
익스트림 스포츠!
딱

▶ 험하다 : 평탄하지 않고, 울퉁불퉁하거나 가파르다.
▶ 헬리콥터 : helicopter. 위쪽에 달린 날개를 돌려서 생기는 힘으로 나는 항공기.

접근하기 어려운
코스를 정복한다는
성취감을 느낄 수 있어
인기를 끌고 있지.
우아~
헬리 스키도
최고다!
나도 동감!
쟤네는 왜 저렇게
겁을 상실한 거야….
헐~

▶ 정복 : 어려운 일을 해내 자신의 뜻이나 목적을 이룸.
▶ 상실 : 어떤 것이 완전히 없어지거나 사라짐.

연을 달고 설원을
달리는 카이트 보드를
빼먹으면 섭섭하겠지?

모조리 다
해 보고 싶어!
우리 셋이
나중에 꼭 함께
도전하자!
왜 갑자기 나까지
끌어들이는 건데….
인간들은 모험심이
강해서 현재에 만족하지
않고 늘 새로운 걸
만들어 내지.
이야~ 우리가
같은 생각을
할 때도 있군.
이 얄미운
목소리는….

▶ 설원 : 눈이 덮인 벌판.
▶ 모험심 : 위험을 무릅쓰고 어떤 일을 하려는 마음.

뚜
둥
역시나 최고봉,
네 녀석이었군.

네 말대로 난
현재에 머무르는 걸 가장
싫어하는 사람이지!
뚜벅
뚜벅
부정 타니까
가까이 오지 마!

그래서 조만간
익스트림 스포츠단을
신설할 계획이야!
스윽
익스트림
스포츠단?

왜? 구미가 당겨?
원한다면 자네에게
그 스포츠단을
맡길 수도 있어.

엥?
앗!
정말?

▶ 신설 : 새로 설치함.
▶ 구미가 당기다 : 욕심이나 흥미가 생기다.

단장님, 설마…
우리 스포츠단을
떠나실 건 아니죠?
오름아,
무슨 그런 바보 같은
걱정을 해.
쓱쓱

과학 기술이
발전하면서 새로운
스포츠들이 속속 생기고 있어.
난 그 흐름에 맞춰 익스트림
스포츠단에 ▶지원을 아끼지 않을
생각이야. 어때? 나 같은
사람이 있어야 스포츠계가
발전하지 않겠나?
네 말도 어느 정도
▶일리는 있어. 하지만 변하지
않는 사실이 있지.
스르르
이번엔 또 무슨
소리를 하려고!

바로 스포츠맨 정신이
가장 중요하단 거야!
스포츠맨 정신이 없는
네가 만든 스포츠단은
구경거리 밖에 안 될걸?
뜨악
그렇게
심한 말을?

▶ **지원** : 지지하며 도움.
▶ **일리** : 어떤 면에서 그런대로 타당하다고 생각되는 이치.

툭
얘들아, 가자! 마지막 경기 준비해야지!
철퍽

야! 사람을 왜 밀쳐!!!

스윽
내가 민 게 아니야. 자네가 제풀에 쓰러진 거지. 그동안 운동에 얼마나 소홀했으면…

라이브 영상 건강한 삶과 운동

라이브과학 앱으로 찍어 보세요

체력이란 몸을 움직여 어떤 일을 할 수 있게 하는 에너지를 말하는데, 체력이 좋으면 일상 생활을 하는 데 쉽게 지치지 않고, 피로감 없이 하고 싶은 일을 할 수 있다. 반면, 체력이 약해지면 쉽게 지치고, 모든 일에 의욕을 잃게 된다. 또, 쉽게 병에 걸려 건강한 생활을 유지하기 어려우며, 하고 싶은 일을 하는 것도 쉽지 않다. 체력을 키우기 위해서는 규칙적인 생활을 하고 몸에 좋은 음식을 골고루 챙겨 먹으며, 자신에게 적합한 운동을 꾸준히 하는 것이 중요하다.

▲ 운동으로 만드는 건강한 생활

▶ 소홀 : 정성이나 조심하는 마음이 부족함.
▶ 피로감 : 정신이나 몸이 지쳐 힘든 느낌.

스노보더 최고봉은
이제 세상에 없는
사람인가 보군.

머쓸, 그날 이후
넌 항상 날 무시했지.
두고 봐, 내가 반드시
지금까지의 설움을
갚아 줄 테니까.
부들
부들

스노보드 하프파이프 쪽
준비는 어떻게 됐나?
완벽하게
준비했습니다,
단장님.

파랑새 스포츠단의
마지막 경기가 얼마나
눈물겨울지 벌써부터
기대되는군.

여긴!!
세상에!
원래
이렇게 커?
그건 나도
모르지~

▶ 무시 : 어떤 대상을 업신여겨 깔봄.
▶ 눈물겹다 : 눈물이 날 만큼 슬프거나 가엾다.

두
슈퍼 파이프
연습장이잖아!
START
둥

최고봉,
이 비겁한 자식!
갸웃
부들
부들
하프 파이프랑
슈퍼 파이프가
많이 달라?
파이프의 높이가 차이 나.
하프 파이프는 보통 3m
정도인데, 슈퍼 파이프는
6m가 넘거든.

▶[163쪽] 환경 : 생물에게 직접, 또는 간접으로 영향을 주는 자연적 조건이나 사회적 상황.
▶[163쪽] 차라리 : 그럴 바에는 오히려.

연습했던 환경과
많이 달라서 아무리
오름이라도 실력 발휘를
하긴 어려울 거야.

단장님, 전
차라리 잘된 것
같아요!
그게 무슨?

스윽
꼭 한번
슈퍼 파이프에서
연기해 보고
싶었거든요!

항상 꿈꿔 왔어요.
더 높이 날아올라
자유롭게 연기하는
나를요!
팍악

하지만 한 번도
경험해 보지
못 했잖아.
잘못하다
다칠 수도 있어,
오름아.

▶ 연기 : 운동 경기에서 정해진 동작 등을 선보이는 것.
▶ 경험 : 자신이 실제로 해 보거나 겪어 봄.

원톱 스포츠단 우진이 선수가 연기를 마쳤습니다. 잠시 후, 파랑새 스포츠단 차오름 선수의 연기가 이어질 예정입니다.
와~아
와~
단장님, 걱정 하지 마세요!
우리 파랑새 스포츠단의 특급 에이스, 오름이 걱정을 왜 해!
하하하
잠시 후
당연하지. 낯선 환경에서 제 실력 발휘하는 게 결코 쉬운 일이 아니니까….
머쓸, 사실은 걱정 많이 되지?

▶ **예정** : 앞으로 할 일을 미리 정함.

▶ **특급** : 특별한 등급이나 계급.

START
휘이이잉
휘이이잉

휘이이잉
갑자기 어디서 이렇게 바람이 부는 거지?

실내 연습장에 이런 바람이 부는 게 말이 되나?
뭐야, 엄청 수상해.

휘이이잉
이번엔 바람으로 방해하려는 건가? 하지만….

스윽
바람 따위는 이겨 내면 그만이야!

▶ 바람 : 기압의 변화, 또는 사람이나 기계에 의해 일어나는 공기의 움직임.
▶ 수상하다 : 보통과는 달리 이상하고 의심스럽다.

자, 간다!
오름아, 네 인생엔 앞으로도 수많은 경기가 남아 있어. 그러니까 조심해야 한다.
너희 몫까지 내가 해낼게. 앞으로도 우리 파랑새 스포츠단에서 행복하게 운동하자!
촤아악

그럼 어디 한번 시작해 볼까!
추아아아악

▶ 인생 : 사람이 이 세상에 살아 있는 동안.
▶ 몫 : 여럿으로 나누어진 각 부분.

최대한 속력을 올려서 바람의 힘에 맞서야 해!
좌아아악
첫 번째로 선보일 연기는….
할 수 있을까?
오름일 믿어 봐야지.
제아무리 뛰어나도 아직 새파란 꼬맹이야. 바람의 힘을 이길 순 없을 거다.

▶ 선보이다 : 처음으로 내놓아 보여 주다.
▶ 새파랗다 : 사람이 파릇파릇한 싹처럼 아주 젊은 것을 비유적으로 이르는 말.

540도
테일 그랩이다!
휘이이잉
바람이 생각보다
훨씬 더 강해.
그렇다면….

이런…. 몸이
바람에 밀리고
있잖아.
빙글
몸을 웅크려
바람의 저항을
줄인 다음!
것 봐. 내가
무리랬지?
씨익

▶ 테일 그랩 : tail grab. 손을 뒤로 뻗어 스노보드를 잡은 뒤, 회전하는 기술.
▶ 밀리다 : 일정한 방향으로 움직이도록 반대쪽에서 힘이 가해지다.

빙
그
르
르
르
있는 힘껏
바람을 이긴다!
으아아아압!

오름아!
이겨냈구나!!!
꺄 아 ~

착

★[168쪽] 저항 : 물체가 운동하는 방향과 반대 방향으로 작용하는 힘.
▶ 힘껏 : 있는 힘을 다해. 또는 힘이 닿는 데까지.

진짜는
지금부터다!

흉내 낼 수
있으면
해 보라고!

속력을 너무 높이는데?
대체 뭘 하려고….
아마 1,440도 더블 콕일 거야.

1,440도 더블 콕이란?
공중에서 네 바퀴를 돌며 스노보드를 손으로 움켜잡는 그랩 기술까지 함께 선보이는 최고 난이도의 기술.

휘
리
릭
차오름 만세!
멋지다!
왕 감동이야!
우아아아!
정말 최고다,
차오름!!!
벌떡
다, 단장님…?
잘한 건 잘했다고
칭찬해야지. 그게 바로
스포츠맨 정신 아닌가?
험
험

▶만세 : 어떤 일을 기뻐하는 뜻으로, 두 손을 높이 들며 외치는 말.
▶감동 : 깊이 느껴 마음이 움직임.

잘하는 건
알고 있었지만,
이 정도일 줄은
미쳐 몰랐군….

휘리리릭
야호~
성공이다!
착
머쓸, 저렇게
훌륭한 선수를 어떻게
만들어 낸 거냐….
와아아아
와~아

▶ [172쪽] 칭찬 : 좋은 점이나 잘한 일 등을 매우 훌륭하게 여겨 말로 나타냄.
▶ 성공 : 목적하는 바를 이룸.

단장님!
오름아!!!
아이~
아파요!
번쩍
장하다,
이놈아!

하
하
하
호
호
호
… 참 좋아
보이는군.

하긴…. 나도
그 시절이 가장
행복했었지.
슈욱
슈욱

▶장하다 : 매우 대단하고 훌륭해 높이 평가할 만하다.

▶시절 : 일정한 시기나 때.

최고봉,
넌 꿈이 뭐야?
난 꼭 성공해서
운동을 하고 싶은 친구들이
마음껏 운동할 수 있는
스포츠단을 만들 거야!

성공하겠다는
목표는 이뤘지만…
은 이루지 못했어.
그 꿈을 머쓸이
이룬 건가….
점수가
나왔습니다!
파랑새 스포츠단
차오름 선수가
고득점으로
승리했습니다!
꿀꺽
됐다!

▶점수 : 성적을 나타내는 숫자.
▶고득점 : 시험이나 경기에서 높은 점수를 얻음.

와~아
와아아
애들아, 우리가 이겼어!
짝
짝
짝

단장님, 저기….
슥

최고봉, 이제 알겠지? 꼼수로는 스포츠맨 정신을 절대 이길 수 없다는 걸.

스윽
지, 지금 뭐 하자는 거야! 우리가 이기고, 너희가 졌다니까!

맞아, 머쓸. 네가 이겼어. 그것도 아주 멋지게 말이야!

▶[177쪽] 소중하다 : 매우 중요하고 귀중하다.
▶[177쪽] 충격 : 마음에 받은 심한 자극.

덕분에 난 잊고 지냈던 ▶소중한 꿈이 떠올랐고.
끄덕
▶충격이 커서 머리가 어떻게 됐나 봐.
끄덕

갸우뚱
잊고 지냈던 꿈이라니?

머쓸&최고봉 스포츠단
기억나? 아무 걱정 없이 운동할 수 있는 스포츠단을 만들기로 했었잖아.
그걸 다 기억하고 있었어?

말했잖아, 잊고 지냈다고.

너의 훌륭한 ▶제자가 그 기억을 ▶되살려 줬지.
?

▶ 제자 : 스승으로부터 가르침을 받거나 받은 사람.
▶ 되살리다 : 잊었던 감정이나 기억을 다시 떠올리거나 생각해 내다.

난 성공했지만
꿈을 잃어버렸고,
넌 꿈은 ▶간직하고 있지만,
그 꿈을 이룰 만한 성공을
이루진 못했지.
또 시비
거는 거냐?
더 이상
파랑새 스포츠단을
괴롭히는 일은
없을 거다.
구시렁
구시렁
당연한 이야기를
참 어렵게도 하네.
대신!
뭐? 대신? 내가
이럴 줄 알았다니깐.
조건 없이 그런 약속을
할 녀석이 아니지!
어쩐지
▶의외다 했어.
대신이 뭐야,
대신이!
파랑새 스포츠단의
연습장을 원톱 스포츠단과
같은 최신식 시설로 고치는 데
동의할 것을 요구한다.
물론 그에 필요한 비용은
내가 다 대도록 하지!
쩌
억
뭐?
헐~

▶ 간직 : 물건 등을 어떤 장소에 잘 보관해 둠.
▶ 의외 : 생각이나 예상을 전혀 하지 못함.

재가 지금
뭐라는 거니?
자기
돈으로….
그것도
최신식으로요!
연습장을 새로
지어 주겠다는데?
진심이냐,
최고봉?
으쓱
샥
꿈을 돈으로
사겠다는 거니까
감동할 건 없어.
여기 방금
한 약속 쓰고
사인해! 당장!
파
갑자기
종이랑 볼펜은
어디서 난 거야!
지금 내 말을
못 믿겠다는 거야?
너 같으면
믿겠냐?
어서
사인해!
한다고!
하면 될 거
아냐!
크크
빙글
빙글
이번 임무도
어쨌든 완성!

인포그래픽 **핵심 과학**

한눈에 보는 전 세계의 이색 스포츠

고스트라
몰타(유럽)

돼지비계가 묻어 미끄러운 기다란 봉, 고스트라를 타고 올라가서 깃발을 뽑아 오는 경기이다.

치즈 굴리기
영국(유럽)

커다란 치즈로 만든 공을 높고 가파른 언덕에서 굴린 다음, 가장 먼저 잡는 사람이 이기는 경기이다.

마얀 볼
과테말라(남아메리카)

불이 붙은 공을 막대를 사용해 링 안에 집어넣는 경기로, 마야 문명 시대부터 이어진 전통 스포츠이다.

염소 계주
트리니다드 토바고(남아메리카)

염소와 함께 100m를 달려 가장 먼저 결승선을 통과하는 팀이 이기는 경기로, 매년 부활절에 열린다.

대나무 배 조정
중국(아시아)

한 가닥의 대나무로 만든 배를, 한 가닥의 대나무로 만든 노를 이용해 조종하는 경기로, 중국의 전통 스포츠이다.

카바디
인도(아시아)

공격수가 상대편으로 가서 상대 선수를 붙잡은 후 돌아오면 점수를 얻는 경기로, ▶아시안 게임의 종목으로 ▶채택되었다.

아내 업고 달리기
핀란드(유럽)

남편이 아내를 업고 장애물 코스를 지나 결승선을 통과하는 경기이지만, 법적인 부부가 아니라도 참가할 수 있다.

참치 던지기
호주(오세아니아)

냉동 참치를 가장 멀리 던지는 사람이 이기는 경기로, 최근에는 동물권 보호를 위해 모형 참치로 대회를 진행하고 있다.

▶ 아시안 게임 : asian game. 아시아 여러 나라의 평화를 목적으로 열리는 국제 운동 경기 대회.
▶ 채택 : 작품이나 의견, 제도 등을 골라서 다루거나 뽑아 씀.

플러스 통합 과학

의학으로 기초물리읽기 운동을 하다가 다쳤을 때 어떤 찜질을 해야 할까?

운동을 할 때 많이 사용하는 관절, 근육, 뼈, 인대, 피부 등은 부상을 입기 쉽습니다. 운동을 하다가 다치면 더운찜질과 얼음찜질 중 어떤 찜질을 해야 하나 고민하게 되는데요. 다친 부위의 붓기와 통증을 감소시키기 위해서는 얼음찜질을 해 주는 것이 좋고, 다친 부위에 쌓인 통증 물질 및 노폐물을 배출시키기 위해서는 더운찜질을 하는 것이 좋다고 합니다.

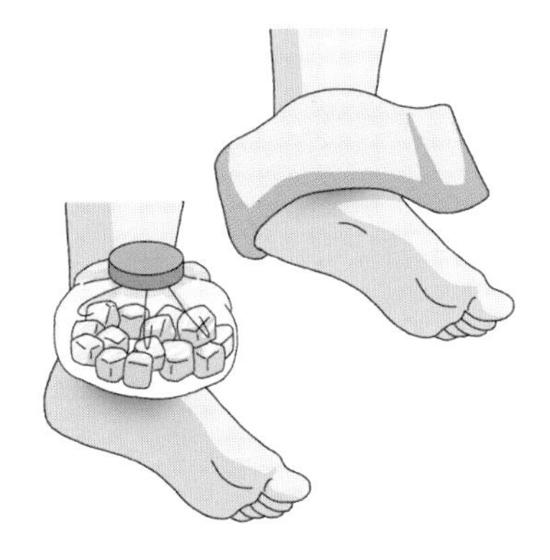
▲더운찜질과 얼음찜질

운동을 할 때 다치는 주된 이유는 운동 전후에 충분한 스트레칭으로 근육과 관절을 풀어 주지 않았기 때문입니다. 스트레칭을 하면 관절과 근육의 운동 범위가 넓어지는 것은 물론, 혈액의 흐름이 빨라져 근육에 공급되는 영양분이 늘어나게 되어 손상된 근육이나 관절이 빨리 회복되거든요. 만약 운동을 하다 심하게 다친 경우에는 응급 처치를 한 뒤, 꼭 병원에 가 보는 것이 좋아요.

▲스트레칭

부상	정의 및 응급 처치
근육통	정의 : 무리하게 운동할 때 근육에 생기는 통증 응급 처치 : 가볍게 스트레칭 또는 근육 마사지를 함
찰과상	정의 : 넘어지거나 부딪쳐 피부가 벗겨진 것 응급 처치 : 상처가 난 곳을 깨끗한 물로 씻고 약을 바른 후, 거즈나 밴드를 붙임
타박상	정의 : 넘어지거나 부딪쳐 멍이 들고 부어오르는 것 응급 처치 : 얼음찜질을 한 뒤, 통증이 가라앉으면 더운찜질을 함
염좌	정의 : 외부 충격으로 근막이나 인대가 늘어나거나 찢어지는 것 응급 처치 : 다친 부위를 붕대로 고정한 뒤, 병원에 감
골절	정의 : 외부 충격으로 뼈가 부러지거나 금이 가는 것 응급 처치 : 다친 부위를 붕대나 부목으로 고정한 뒤, 병원에 감

▲운동 중에 발생하는 부상의 종류와 응급 처치

음식으로 기초물리 읽기

운동을 하지 않을 때 스포츠 음료를 마셔도 될까?

▲스포츠 음료

물이 우리 몸의 70% 이상을 이루고 있다는 사실을 알고 있나요? 몸에서 물이 5%만 부족해도 심장에 무리가 가게 되고, 10% 이상 빠져나가면 ▶탈수로 생명이 위험해질 수도 있습니다. 그렇기 때문에 체내에 물이 1~2%만 모자라도 우리는 갈증을 느끼고 물을 찾게 되지요. 만약 운동을 열심히 해서 땀을 많이 흘리면 갈증을 더욱 심하게 느끼게 되겠지요? 이때 빠르고 효과적으로 수분을 섭취하기 위해 스포츠 음료를 찾게 됩니다.

1965년, 물에 나트륨, 칼륨과 함께 포도당을 일정 비율로 넣어 ▶체액과 비슷하게 삼투압 조절이 되게 한 음료를 선수들에게 공급하면 물의 흡수가 더욱 빨라져 운동 기능을 유지하는 데 효과가 있다는 연구가 발표되었습니다. 이를 바탕으로 1967년, 스포츠 음료가 세상에 선보이게 되지요. 성분은 대부분 물이고 포도당, 무기질(나트륨, 칼륨, 마그네슘 등), 비타민이 포함되어 있었어요.

운동 전
체중 1kg당 5~7mL의 물 마시기

운동 중
15분에 두세 모금씩 스포츠 음료 마시기

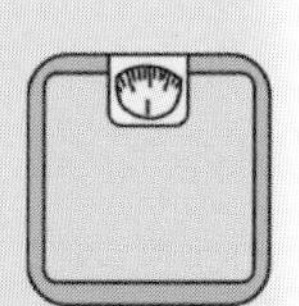

운동 후
빠진 체중 1kg당 1.5L의 물 마시기

오늘날까지 스포츠 음료는 큰 사랑을 받고 있습니다. 문제는 평소에는 우리 몸속 무기질의 균형이 깨질 일이 없으므로 물을 마시는 것만으로도 충분히 수분을 보충할 수 있다는 사실입니다. 오히려 평상시에 스포츠 음료를 마시면 나트륨을 많이 섭취하게 되는 문제가 발생할 수 있지요.

운동을 할 때 스포츠 음료를 마시는 것도 좋지만, 운동 전후에 물을 충분히 마시는 것이 더 중요하다는 사실을 잊지 마세요.

▶ **탈수** : 어떤 물체 안에 들어 있는 물기를 뺌.
▶ **체액** : 동물의 몸속에 있는 피, 림프, 눈물, 침 등의 액체.

도전! 과학 퀴즈

1번 아라가 가로세로 퍼즐을 푸는 데 어려움을 겪고 있어요. 아라를 도와 함께 퍼즐을 풀어 보세요.

	① 탄						② 마
③ 관			법				
							볼
			④ 알				
			⑤ 힘	의			소

가로 열쇠

③ 정지하고 있는 물체는 외부에서 힘이 작용하지 않는 한 계속 정지해 있고, 운동하고 있는 물체는 그 운동을 계속하려고 한다는 뉴턴의 운동 제1법칙이다.

⑤ 물리적인 힘을 설명하는 세 가지 요소를 ○○ ○○○라고 한다.

세로 열쇠

① 변형된 물체가 원래의 모양으로 되돌아가려는 힘으로, ○○○의 크기는 물체가 변형된 정도에 비례한다.

② 불이 붙은 공을 막대를 사용해 링 안에 집어넣는 경기로, 마야 문명 시대부터 이어진 과테말라의 전통 스포츠이다.

④ 한 물체에 작용하는 모든 힘의 합력을 ○○○이라고 한다.

과연 나, 최고봉보다
빨리 풀 수 있을까?

2번 누리도 가로세로 퍼즐에 도전하려고 해요. 누리를 도와 함께 퍼즐을 풀어 보세요.

① 아		② 스		키			
				③ 마			
		음					
					④		
					⑤ 구	심	

가로 열쇠

① 스케이트 경기 중 하나인 ○○○○○에 사용하는 공을 퍽이라고 한다.

③ 42.195km를 달리는 장거리 육상 경기인 ○○○에 출전하는 선수는 단거리 육상 선수보다 상대적으로 허벅지가 얇고 마른 편이다.

⑤ 물체가 원운동을 할 때, 원의 중심 방향으로 작용하는 힘을 ○○○이라고 한다.

세로 열쇠

② 나트륨, 칼륨, 마그네슘 등의 무기질이 포함된 ○○○ ○○는 운동 중에 빠져나간 수분과 전해질을 보충해 준다.

④ 투수가 던진 공을 타자가 배트를 이용해 치는 스포츠로, 타자가 친 공이 펜스를 넘어가는 것을 홈런이라고 한다.

도전! 과학 퀴즈

3번 아이들이 힘에 대해 이야기하고 있습니다. 주제와 가장 거리가 먼 이야기를 하는 친구는 누구일까요? 답 (　　)

힘이란 무엇일까?
진우
형석
정현
하늘

① 진우 : 힘을 주면 물체의 모양이나 운동 상태가 변해.

② 형석 : 공을 꾹 밟아서 찌그러뜨리면 공의 운동 상태가 변한 셈이지.

③ 정현 : N(뉴턴)은 대표적인 힘의 단위야.

④ 하늘 : 힘의 작용점, 힘의 크기, 힘의 방향을 힘의 3요소라고 해.

얘들아~ 우리 퀴즈 얼른 풀고 축구하러 가자!

4번 오름이가 근육에 대해 설명하고 있습니다. 괄호 안에 있는 보기 중 옳은 것을 골라 적어 보세요.

답 (　　　　,　　　　,　　　　)

(단거리 , 장거리) 육상 선수는
근육에서 차지하는 지근 섬유의
비율이 (낮은 , 높은) 편이야.
근수축은 (느려도 , 빨라도) 피로에 강한
지근 섬유는 지구력을 발휘하는
운동 경기에 적합하거든!

5번 다음은 어떤 인물이 받은 공로상입니다. ㉠에 들어갈 인물의 이름은 무엇일까요?

답 (　　　)

① 김연아
② 박세리
③ 앨런 셰퍼드
④ 제임스 네이스미스

제○○호

공로상

이름 : ㉠ ______

위 사람은
실내 스포츠인 농구를 개발하여
날씨에 구애받지 않고
스포츠를 즐길 수 있도록 했기에
이에 상장을 드립니다.

농구로 키 크자 동호회 일동 (인)

도전! 과학 퀴즈

6번 아라와 누리가 운동선수 그림 카드를 만들었어요. 운동선수가 사용하는 공과 그림 카드를 알맞게 이어 보세요.

① 
골프 선수

② 
테니스 선수

③ 
축구 선수

④ 
아이스하키 선수

⑤ 
야구 선수

누리야,
나 이 문제
모르겠어.
그치?
문제가 너무
어려워.

7번 미로를 빠져나가면서 마주치는 공의 순서대로 특징을 나열해야 합니다. 옳은 순서는 무엇일까요? 답 (　　)

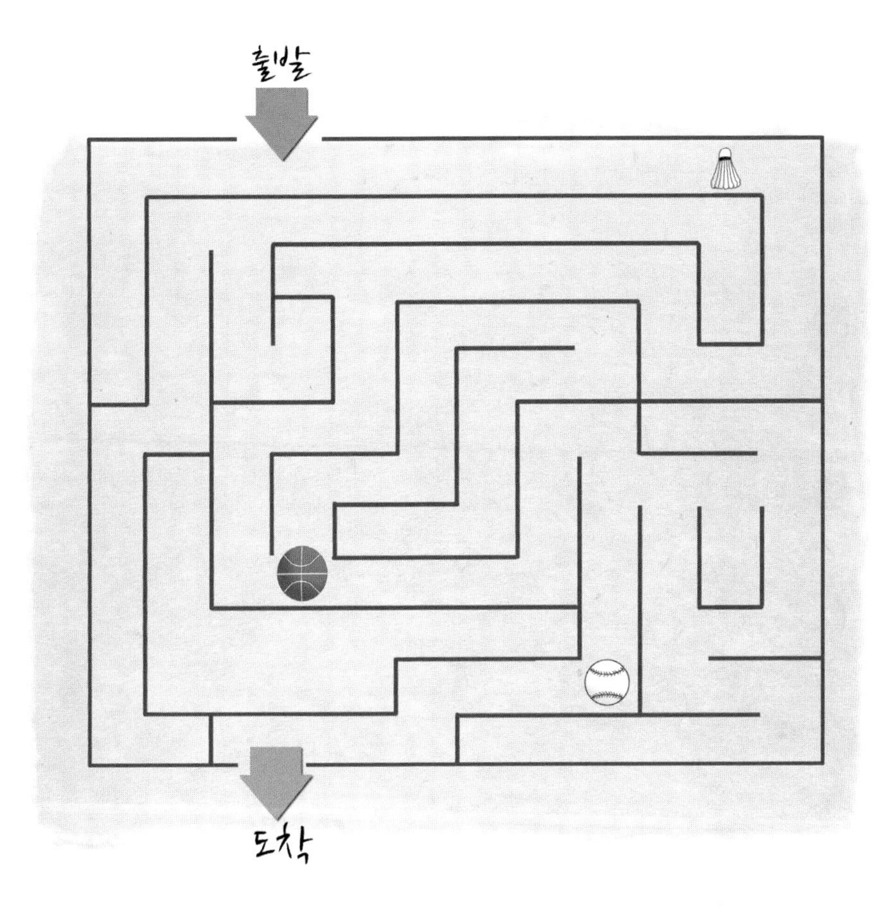
출발
도착

㉠ 이 공은 바닥을 보며 공을 튕겨야 하는 선수들을 위해 경기장 바닥과 비슷한 계열의 색으로 만들었다.

㉡ 이 공은 무게가 매우 가벼워 순간 속도가 다른 공에 비해 빠른 편이다.

㉢ 이 공은 탄성력을 조절하기 위해 고무, 코르크, 털실 등을 모두 사용해 만들었다.

① ㉠-㉡-㉢　　② ㉡-㉠-㉢

③ ㉡-㉢-㉠　　④ ㉢-㉡-㉠

도전! 과학 퀴즈

8번 머쓸이 어떤 인물에 대한 스무고개 문제를 내고 있습니다. 누구에 대해 설명하고 있을까요?

답 (　　　)

첫째 고개 : 만유인력의 법칙을 발견한 영국의 과학자야.
둘째 고개 : 물체의 운동에 관한 법칙을 세 가지로 정리하기도 했지.
셋째 고개 : 금화의 테두리에 톱니무늬를 새기는 방법으로 화폐 훼손 문제를 해결했어.

① 마리 퀴리　② 아이작 뉴턴
③ 알프레드 노벨　④ 토머스 에디슨

9번 아이들이 마찰력에 대해 이야기하고 있습니다. 이 중 옳은 내용만 고른 것은 무엇일까요?

답 (　　　)

㉠ 물체와 접촉면 사이에서 물체의 운동을 방해하는 힘을 마찰력이라고 해.

㉡ 접촉면이 거칠수록, 또 접촉면이 넓을수록 마찰력은 커지지.

㉢ 걸을 때는 마찰력이 커야 좋고, 스노보드나 스케이트를 탈 때는 마찰력이 작아야 좋아.

① ㉠, ㉡, ㉢　② ㉠, ㉡　③ ㉠, ㉢　④ ㉡, ㉢

우아~
정말 잘 푼다!
따봉, 따봉!

10번 선생님이 중력에 대해 이야기하고 있어요. 다음 중 중력을 이용한 스포츠가 <u>아닌</u> 것은 무엇일까요? 답 (　　　)

중력과 스포츠

중력이란 지구가 물체를 지구 중심 방향으로 끌어당기는 힘을 말해요. 최근에는 중력의 특성을 이용한 스포츠가 많은 사랑을 받고 있지요!

①

역도

②

스카이다이빙

③

싱크로나이즈드 스위밍

④

양궁

도전! 과학 퀴즈

11번 아라가 인터넷으로 속력과 속도에 대해 검색하다 아래 문제를 찾았습니다. ㉠에 들어갈 알맞은 답은 무엇일까요? 답 (　　　)

파일(F) 편집(E) 보기(V) 즐겨찾기(A) 도구(T) 도움말(H)
속력과 속도
검색
Q 누리는 500m 운동장 한 바퀴를 100초 만에 달려 다시 출발선에 도착했습니다. 이때 누리의 속력을 구해 보세요.
A 속력 : ㉠
인터넷
100%

① 20m/s　　② 10m/s
③ 5m/s　　④ 0m/s

호아암~
퀴즈 푸느라
너무 늦게 잤네.

12번 아라와 누리가 전 세계의 이색 스포츠를 정리해 그림 카드로 만들었습니다. 그림 카드를 확인한 뒤, 아메리카에 있는 이색 스포츠를 모두 골라 보세요.

㉠
아내 업고 달리기
㉡
염소 계주
㉢
대나무 배 조정
㉣
마얀 볼
㉤
참치 던지기
㉥
치즈 굴리기
㉦
고스트라
㉧
카바디

아메리카의 이색 스포츠

도전! 과학 퀴즈

B

13번 구심력과 원심력에 대한 설명 중 틀린 것은 무엇일까요?

답 (　　　)

① 원운동을 하는 물체에 나타나는 관성력이 구심력이다.

② 구심력과 원심력은 원운동의 속도가 빨라질수록 커진다.

③ 구심력과 원심력의 크기는 같지만, 방향은 반대이다.

④ 쇼트 트랙은 원심력을 극복해야 하는 대표적인 스포츠이다.

14번 아라와 누리가 어떤 스포츠에 대해 조사한 후 그림을 그렸습니다. 다음 중 그 스포츠는 무엇일까요?

답 (　　　)

짜릿하고 신나는
○○○○ 스포츠의
세계로 함께 떠나요!

① 그레이트 스포츠　　② 어메이징 스포츠
③ 익스트림 스포츠　　④ 판타스틱 스포츠

퀴즈도
다 풀었으니
42권 읽으러
출발!
아라야,
나도 같이 가!

15번 여러분은 지금까지 스포츠와 힘에 대해 공부했습니다. 이제 배운 내용을 떠올리며 내가 만든 새로운 스포츠를 하는 내 모습을 그려 보세요. 또, 그 스포츠를 하면 좋은 점을 간단히 써 보세요.

■ 내가 만든 스포츠를 하면 좋은 점 :

도전! 과학 퀴즈 정답과 해설

1번

	①탄						②마
③관	성	의	법	칙			얀
	력						볼
			④알				
			짜				
			⑤힘	의	3	요	소

2번

①아	이	②스	하	키			
		포					
		츠		③마	라	톤	
		음					
		료			④야		
					⑤구	심	력

3번

답 ②

물체에 힘을 주면 물체의 모양이 변하거나 운동 상태가 변한다. 체중을 실어 공을 밟으면 둥근 공이 찌그러지는데, 이것은 공의 모양이 변한 것이다.

4번

답 장거리, 높은, 느려도

지근 섬유는 느리게 수축해서 힘은 약하지만, 피로에 강해 지구력이 필요한 장거리 육상 경기에 적합하다.

5번

답 ④

제임스 네이스미스는 추운 겨울에도 학생들이 재미있게 할 수 있는 운동이 없을까 고민하다가 농구를 개발하게 되었다. 처음 농구가 만들어졌을 때는 100명의 선수가 함께 농구 경기를 하기도 했다.

6번

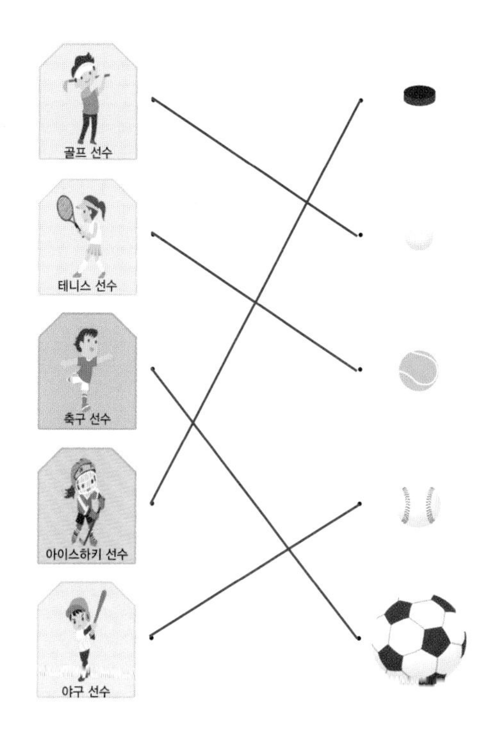
골프 선수
테니스 선수
축구 선수
아이스하키 선수
야구 선수

7번

답 ②

㉠은 농구공, ㉡은 배드민턴 경기에 사용하는 공인 셔틀콕, ㉢은 야구공에 대한 설명이다.

8번

답 ②

만유인력의 법칙과 뉴턴의 운동 법칙(관성의 법칙, 힘과 가속도의 법칙, 작용 반작용의 법칙)으로 우리에게 친숙한 뉴턴은 금화의 테두리에 톱니무늬를 새기는 방법으로 당시 영국의 사회 문제였던 화폐 범죄를 해결하기도 했다.

9번

답 ③

물체와 접촉면 사이에서 물체의 운동을 방해하는 힘인 마찰력은 접촉면이 거칠수록 커지는데, 이때 접촉면의 넓이는 마찰력에 전혀 영향을 끼치지 않는다.

10번

답 ④

역도, 스카이다이빙, 싱크로나이즈드 스위밍은 중력의 특성을 이용한 스포츠이다. 반면, 양궁은 활시위의 탄성력을 이용한 스포츠라고 할 수 있다.

11번

답 ③

이동 거리를 걸린 시간으로 나누면 속력을, 변위를 걸린 시간으로 나누면 속도를 구할 수 있다. 500m 운동장을 100초 만에 완주했으니 속력은 5m/s이다. 반면, 처음 출발한 곳으로 다시 돌아와 위치의 변화가 없기 때문에 속도는 0m/s이다.

12번

답 ㉡, ㉣

아메리카의 이색 스포츠는 ㉡ 염소 계주(트리니다드 토바고), ㉣ 마얀볼(과테말라)이 있고, 유럽의 이색 스포츠는 ㉠ 아내 업고 달리기(핀란드), ㉥ 치즈 굴리기(영국) ㉦ 고스트라(몰타)가 있다. 또, 아시아의 이색 스포츠는 ㉢ 대나무 배 조정(중국), ㉧ 카바디(인도)가 있으며, 오세아니아의 이색 스포츠는 ㉤ 참치 던지기(호주)가 있다.

13번

답 ①

물체가 원운동을 할 때 원의 중심 방향으로 작용하는 힘을 구심력이라고 하고, 구심력이 작용하는 반대 방향으로 작용하는 힘을 원심력이라고 한다. 이때, 원심력은 원운동을 하는 물체에 나타나는 관성력으로, 실제로 존재하는 힘은 아니다.

14번

답 ③

날다람쥐 모양으로 제작된 특수 비행 슈트를 입고 높은 곳에서 뛰어내리는 윙슈트 플라잉은 대표적인 익스트림 스포츠이다.

15번

답 (예시)

신나는 노래에 맞춰 손을 흔들며 커다란 공 위에서 앉았다, 일어났다를 반복하는 내가 만든 스포츠는 누구나 쉽게 할 수 있어서 운동을 잘하지 못하는 친구들도 재미있게 즐길 수 있을 거야.

자료 제공

사진 출처 **42 아이작 뉴턴** • 위키피디아, **동전** • 플리커 Austin Kirk **43 로켓** • 천재교육ⓒ3Dsculptor/shutterstock **78 제임스 네이스미스와 캔자스 대학교 농구팀** • 위키피디아 **79 앨런 셰퍼드** • 위키피디아 **146 피겨 스케이팅** • 천재교육ⓒSergey Nivens/shutterstock, **아이스하키** • 천재교육ⓒFotokvadrat/shutterstock **147 수호랑과 반다비** • 연합뉴스, **피에르 드 쿠베르탱** • 위키피디아 **160 운동** • 천재교육ⓒSeita/shutterstock **182 스트레칭** • 천재교육 **183 스포츠 음료** • 픽사베이

이 책에 사용한 모든 자료의 출처를 밝히기 위해 노력하였습니다.
누락되거나 잘못된 점이 발견되면 바로잡겠습니다.